超好賣

Write to Sell
The Ultimate Guide to Great Copywriting

的文案銷售術

洞悉消費心理
業務行銷、社群小編、網路寫手必備的
銷售寫作指南

Andy Maslen
安迪‧麥斯蘭 著

劉復苓 譯

經營管理 138

超好賣的文案銷售術

洞悉消費心理，業務行銷、社群小編、網路寫手必備的銷售寫作指南

（原書名：寫出銷售力）

作　　　者	安迪・麥斯蘭（Andy Maslen）	
譯　　　者	劉復苓	
責 任 編 輯	許玉意、林博華	
行 銷 業 務	劉順眾、顏宏紋、李君宜	

總　編　輯	林博華	
發　行　人	涂玉雲	
出　　　版	經濟新潮社	
	104台北市中山區民生東路二段141號5樓	
	電話：(02) 2500-7696　傳真：(02) 2500-1955	
	經濟新潮社部落格：http://ecocite.pixnet.net	
發　　　行	英屬蓋曼群島商家庭傳媒股份有限公司城邦分公司	
	104台北市中山區民生東路二段141號11樓	
	客服服務專線：02-25007718；25007719	
	24小時傳真專線：02-25001990；25001991	
	服務時間：週一至週五上午09:30~12:00；下午13:30~17:00	
	劃撥帳號：19863813　戶名：書虫股份有限公司	
	讀者服務信箱：service@readingclub.com.tw	
香港發行所	城邦（香港）出版集團有限公司	
	香港灣仔駱克道193號東超商業中心1樓	
	電話：(852) 25086231　傳真：(852) 25789337	
	E-mail: hkcite@biznetvigator.com	
馬新發行所	城邦（馬新）出版集團 Cite (M) Sdn Bhd	
	41, Jalan Radin Anum, Bandar Baru Sri Petaling,	
	57000 Kuala Lumpur, Malaysia.	
	電話：(603) 90578822　傳真：(603) 90576622	
	E-mail: cite@cite.com.my	
印　　　刷	漾格科技股份有限公司	
初 版 一 刷	2008年4月9日	
二 版 三 刷	2018年12月25日	

城邦讀書花園
www.cite.com.tw

ISBN：978-986-94410-2-5　　　　　　　　　　版權所有・翻印必究

售價：320元　　　　　　　　　　　　　　Printed in Taiwan

很少人會像這樣教你寫文案

黃文博

資深廣告人

就是這樣有限公司創意總監

　　跟文字發生關係是四十多年前的事。小學時代的我，無不想盡辦法逃避寫字練習，那動輒每天一百行的作業，總是寫得我指節痠痛，哀怨不已。一天，突發奇想，自作聰明地認為，老師哪有時間一格一格檢查，於是用盡圈圈塗鴉的下流手法矇混過去。那天，功課做得比兄弟快，得意地跑到街上找死黨玩。

　　報應在兩天後降臨，老師手持我的寫字練習本咆哮課堂，緊接著一頓「鐵板快打」，幾乎要把我的手打成熊掌。事後，我確認了兩件事：第一，老師真的很認真在批改作業；第二，我這輩子絕不做跟寫字有關的事。

　　誰知造化弄人，曾經如此討厭寫字的我，竟然成了靠寫字吃飯的廣告文案撰寫者，可見老天爺給我的報應並沒有隨著那頓好打而結束。

　　撰文工作讓我深切體會到，這一個個歷史悠久的方塊字真正難纏之處並非複雜的形體本身，而是將之組合成句子之後，能否發揮懾人的魅力。為什麼文字在大作家的筆下像唯命是從的奴才般任人擺布，而在我們這種凡人筆下竟像黏在手指頭上的口香糖般糾纏不清？

　　只要高中作文課交得出一篇尚稱通順文章的人，大概都自以為會寫文案。專業撰文者的悲哀正出自於此！因為多如過江之鯽的「半瓶水」寫手對自己狗屁不通的文案敝帚自珍，不相信非花錢請專業寫手不可，因此限縮了專業撰文者的發揮，並且拉低了台灣的文案素質。

　　我親身經驗過這類狀況。我寫好的廣告稿，客戶斜著眼打量了一下，然後嘴角露出不屑的神色，拿起筆在文稿上又刪又槓，用極具威嚴的口氣說：「就照我改的用。」天啊，她不過是剛畢業兩年的年輕人，而且經她刪改的文案實在令人不敢恭維。但又能如何？她可是掌握生殺大權的客戶呢！

　　非專業的影響隨處可見。記得許多年前看見一則房地產廣告，強調「絕不淹水」四個大字。您試試從反方向唸唸看，不成了「水淹不絕」嗎？

　　另一個幾乎堪稱經典的提神飲料廣告文案：「恢復疲勞！」請問，喝了它讓您恢復到疲勞狀態，像話嗎？

當然，我必須承認，有銷售力的文案不一定非得由專業寫手寫，出自市井的隨興文章經常有拍案叫絕之作。例如攤商在瓦楞紙上寫：「不要跟我買，買了我會後悔。」絕妙！其中一個意思是賣太便宜，賣給你的話，我這個賣的人會後悔。但另一種解釋則是挑明了講，你買了我的東西會後悔，所以願打願挨，別事後怪我喔。

推車賣西瓜的小販也有妙文。紙板上寫：「一斤8元。」哇，大紅西瓜才賣8元一斤，超便宜。但再細看，「元」字後面不是句號，而是一個極小的「起」字。原來整車西瓜只有那幾粒水傷的賣一斤8元，其餘一律15元一斤！

如何寫出如此巧妙且具銷售力的文案，相信是許多廣告人、業務員、Soho族，以及網路創業者等共同的心願。您可以參加訓練課程，您可以買函授教材，您可以悶著頭練習，我不敢說這些方法沒效果，可我要提醒您「投資報酬率」的問題。依我的看法，幾千元的系列講座或上萬元的函授課程往往不如一本好書有效。

經過我替您把關，我推薦這本《超好賣的文案銷售術》是符合投資報酬率的好書。本書作者有二十多年的實務經驗，以不藏私的態度，傳授有銷售力文案的寫作技巧。本書不打高空、不耍花槍，完全以把你教會做出發點，讓你不僅看得懂，更能即學即用，算是十分有誠意的一本書。

看過了那種既沒份量又缺乏內涵，只會用夢話囈語般的輕薄文字充頁數的書本，再看看這本言之有物、尊重讀者的書，

真想建議那些欠缺誠意與尊重的「作者」務必買下本書好好看一看，先重修自己的文案撰寫態度吧！

　至於一般讀者，您是要買張電影票娛樂自己兩小時，或者花一張電影票的錢買這本書，充實撰寫文案的能力，一輩子受用無窮，您就自行決定吧。

目 錄

銷售寫作的祕訣

想想看，你敲打電腦鍵盤的次數有多麼頻繁：信件、報告、提案、廣告／行銷文案、電子郵件……名單可說是洋洋灑灑。如果你的文筆好，就會比別人更容易達到目的。

身為專業的廣告文案撰寫人暨寫作教練，我看過太多銷售文案，但鮮少出現讓我眼睛為之一亮的佳作。

許多撰稿人未能達成銷售目標的原因，往往不是因為他們的文字，而是因為他們輕忽文字、選擇透過文字以外的方式來推銷產品。因此，我擬訂出一套簡單的優質銷售寫作準則。

我的目標是：

- 幫助你快速寫出更佳的銷售文案。
- 讓你在過程中獲得啟發與樂趣——寫作也是件有趣的事情。
- 與你分享我二十多年來學到的專業祕訣。

- 向你證明，寫出漂亮的文章一點都不難（不過，還是需要多加練習）。
- 提供你一套滿載實用提示、祕訣和技巧的法寶，幫助你的銷售寫作更上一層樓。

整體目標是：

- 協助你發揮文字的功效。

我知道你很忙。我也知道你並不想抱著厚重的教科書苦讀。因此，本書內容十分精簡。但請不要被它輕薄短小的體積所誤導。我在書頁之間注入了大量資訊，足以轉變你的寫作方式。我能幫助你回答每位廣告創意人所面臨的真正大問題：

「要如何光靠文字來說服別人向我購買產品呢？」

「一篇好的銷售文案看起來是什麼樣子？聽起來又是什麼樣子？」

「不是專業寫手，要如何寫出引人注意、有說服力、令人相信的銷售文案呢？」

「版面設計和安排將如何影響文案效果？」

關於銷售寫作，以下四點務必謹記在心：

1. 銷售寫作旨在推銷

許多需要撰寫銷售文案的人並未受過正當訓練。他們之所以表現不佳，是因為沒有人告訴他們該怎麼做。

　　沒錯，學校教過寫作技巧（有時還教得相當徹底）。不過，課堂上的寫作和有效銷售寫作兩者之間有很大的差別。

　　為什麼呢？因為銷售寫作主要目的在於推銷，寫作倒是其次。由於這項區別，文案撰寫人必須了解人性，也要了解如何讓文案發揮效用。當然，你還是需要寫出正確又流暢的文章，這是無庸置疑的，不過，光憑這一點，無法讓你達到目的。

　　人們常常問我是否主修語言學或文學。我不是，我修的是心理學。若想使用文字影響他人，則稍微了解人們心態的運作方式，會有很大幫助。

2. 我們必須以讀者為中心

　　銷售文案之所以效果不佳，多半是因為文案內容皆以撰寫者為中心、而忽略了讀者。

　　企業經營者心中只有公司。主管心中只有產品。廣告公司的文案撰寫人心中只有自己（一心追求他們對藝術的遠大志向，以及對於獲得創意獎項和同儕讚許的渴望）。

　　但是，誰才以讀者為尊呢？誰會絞盡腦汁、了解讀者想要聽到什麼？他們的需求和希望是什麼？要如何促使他們留意某一銷售文案、相信它，並採取行動呢？

3. 篤信小而美的原則

　　許多商業寫手以為物大便是美，在大型廣告公司任職者尤其如此。他們以為，艱深的字詞優於簡單的字詞、長句好過短句。

不過，讀者——甚至企業執行長——並不會被這種文章形式所吸引。它雖慧黠、卻無法打動人心。想要吸引讀者，就得使用獨輪手推車語言：土味、堅硬，幾乎可用雙手捧起、嗅聞出它的味道。

4. 多數人缺乏寫出漂亮文案的必要技巧和經驗

絕大多數的文案撰寫人沒有銷售經驗。就算有，往往也無法將兩者合而為一。也就是說，他們未能將自己的撰寫工作視為銷售過程之一。他們缺乏相關經驗。

多數銷售人員從未寫過正式文案，因此也缺乏相關經驗。

本書十大功用

本書具有以下十大作用：

1. 為你精闢說明如何獲得讀者的注意、尊敬和信任。
2. 讓你有信心用新方法來撰寫銷售文案。
3. 協助你了解推銷技巧和銷售寫作技巧之間的關係。
4. 下次當你想要撰寫銷售文案時，你就可以省下許多時間、精力，也比較不會心痛。
5. 不會把金錢浪費在注定失敗的銷售和行銷訊息上。
6. 提供實用、簡便的工具，設計出更佳文案。
7. 為你解脫所謂「正確」語言的桎梏。
8. 列舉改善文案可讀性的具體技巧。

9. 補充你在優質書面用語基本原則方面的知識。
10. 幫助你如願獲得推銷、行銷和廣告成效。

　　獲得你想要的成效，是本書主旨。書中提到的技巧和觀念能讓你在以下方面皆受惠：

- **書信**——推銷、詢問、協議、通知、抱怨。
- **電子郵件**——給客戶、同事、職員、主管、廠商。
- **報告**——給客戶、同事、董事會、管理者、投資人。
- **提案**——贏得贊助、獲得批准、發展新業務、激勵投資人。
- **公關**——新聞稿、文章、業務通訊。
- **行銷**——廣告、直效行銷信函、傳單、小冊子、網站、電子郵件。

　　換言之，本書談的是目標取向的寫作。在以上各種寫作形式當中，你心中都有特定目標，可能是簡單的銷售詢問，也可能是贏得幾百萬美元的合約。要達到這些目標，你得花點功夫。

你得改變別人的行為

　　你必須透過文字的力量，促使某人去做你想要他們做的事情。讀者早上起床時，心中可能有自己的想法；等到他們讀過你的文章後，就立刻改變看法。你必須要能做到這一點。

要如何改變別人的行為呢？本書將助你走上正確軌道。我們會從頭到尾檢視整個寫作過程──從了解你的讀者、到如何設計文字內容，讓他們覺得非採取行動不可。

第一部分
你不是主角

「文章若寫得恰到好處（我自認我的文章就很得體，這一點你無庸置疑），則和會話有異曲同工之妙。」

——勞倫斯·史特恩（Laurence Sterne），英國作家，1713-1768

第1章
人們常犯的錯誤

　　若要說本書有什麼唯一主旨，那就是了解你的讀者。不是你的產品、不是你的公司，也不是現有的特惠或特價。

　　在我的寫作生涯中，我很早就學到，唯一最重要的人就是讀者。你自己怎麼想並不重要，你的主管怎麼想也不重要，只有讀者的想法（和感受）最重要。這表示，你得做一些你一開始會覺得很奇怪的事情。你所寫的不是你想要寫的內容，而是你的讀者想要讀的內容。

　　許多男人依舊相信「搭訕台詞」可打動女人內心。可是，有備而來的台詞往往注定失敗。為什麼呢？因為它們未能將對方的感受列入考量——全都是說話者自己的想法。

　　銷售寫作也是一樣。若撰寫者事先在心中規劃好內容（我們會在第二部分深入探討寫作規劃），則通常都是關於他們想要陳述的重點項目、想要提及的資訊，以及想要描寫的事實。

老實說，以讀者為主的寫作計畫，就像是四天大的蜉蝣一樣稀有（譯註：蜉蝣通常只有一天的壽命），很少有撰寫者會考慮到讀者的需要、需求、期許和目標。

可是，若是完全不考慮讀者，我們就有大麻煩了。只是一味地談論自己——我們都知道這種人在派對上有何下場。

為什麼要多下功夫

要為讀者而寫——不是為自己、不是為老闆，也不是為同事。原因很簡單，這和讀者在你的文章上所做的投資程度有關。

想像你的讀者坐在辦公桌前或家中客廳。郵差送信來，他們去拿信，然後回來坐下。把帳單挑出後，只剩以下三封信：

1. 一封從澳洲來的信——信封上是老友莉蒂亞親筆寫下的地址。
2. 這個月的《今日園藝》雜誌，還附上一包有機肥料試用包。
3. 你的郵寄廣告。

你的郵寄廣告與其他信件格格不入。這是他們沒有投資就獲得的東西。他們沒有付費、沒有查詢，也不在乎內容是由誰撰寫。

當人們在刊物上有所投資，不管是情緒的投資還是金錢的投資，他們都會閱讀。即使有錯別字、文法錯誤、標點符號使

用不當、內容無吸引力，或出現任何語言上的錯誤，他們一樣還是會閱讀。如果他們沒有注入任何投資，便毫不留情，絕對不容許任何錯誤。

　　想要吸引並維持他們的注意力，只有一個辦法，那就是寫出以他們為目標對象的文章，專注在他們的興趣、他們所關心的事，以及他們的生活。若能輕輕鬆鬆地寫出這樣的文章，則讀者將不再留意文字，只會注意內容。

寫手寶箱：鎖定WIFM電台

無論何時，只要你坐下來提筆寫作——不管是寫什麼：銷售書信、新聞稿、網頁或明信片——一定得先把頻道調到你的讀者都能接收得到的電台：WIFM電台。

　　你的讀者想要知道什麼、每一位讀者想要知道什麼，你要站在讀者的立場，先問以下這個簡單問題：它對我有什麼好處？（What's In It For Me? WIFM）

　　把你的訊息傳送到這個頻道，則被大眾收聽的機率便大幅增加。若錯送到WIII（我所感興趣的事，What I'm Interested In），則你的收聽率絕對難敵其他更有趣的電台。

第2章
人性之我見

　　你知道男人每六秒就會想到性嗎？這表示，如果你寫了一封需要四分鐘才能讀完的信，則你精心設計的銷售辭令總共會被中斷四十次。我完全不知道（a）這項統計資料打哪來，也不知道（b）這是否屬實（我想是有那麼一點誇大其辭吧）。然而……。

　　至少對我們這些咬筆桿的人來說，有個令人沮喪的事實，那就是，無論何日何時，我們的讀者多半會把注意力放在他們在乎的事情上，而不是我們的銷售訊息。我的看法如下，要當個稱職的銷售寫手，就得從裡到外了解你的產品，並能夠以令人信服的文字來介紹它。若要當個偉大的銷售撰稿人，則要對讀者有相同程度的了解，包括他們的癖好、內心深處的恐懼和渴望。

　　在開始敲打鍵盤之前，我們需要先為我們的讀者描繪出一

份心理素描。以下是我在撰寫文案時，想要了解典型讀者的問題項目：

1. 他們的性別是？
2. 年紀多大？
3. 他們希望生活中多些什麼（以及少些什麼）？
4. 他們寧願自己現在身在何處？
5. 他們生命中最大的渴望是什麼？
6. 他們的價值觀為何？
7. 他們如何看待自己？
8. 別人如何看待他們？
9. 他們是屬於理性還是感性的人？
10. 他們對於致富和免於憂慮，哪一個比較感興趣？

　　為什麼要問這些問題呢？因為，我時時刻刻謹記本章節一開始就提到的重點：我的讀者寧可思索別的事情。我對於讀者的偏愛、心理狀態和生活情況了解越多，就越容易提筆寫出直接打動他們內心、令他們難以忽略的文案。

　　當然，並非每個人都認同我的看法。以下三件事是許多寫手以為潛在顧客最感興趣的。我想，他們之所以這麼認為，是因為許多銷售信函、廣告和電子郵件一開始都是這麼寫的。（之後我會列出顧客真正感興趣的事項。）

人們真正感興趣的事情

許多寫手以為顧客會感興趣的事情：

1. 寫手的心態。例如：「我很高興地告訴您……」或「我們非常高興地宣布……」。

2. 陳述顧客的工作、產業或嗜好。例如：「身為忙碌的財務主管，您需要知道……」或者「近年來，越來越多人愛上用火柴棒製作教堂模型。」

3. 描述寫手所屬公司的發展狀況（通常從公司開天闢地說起）。例如：「本公司於 1979 年草創時，以介紹堆肥資訊為主。自此以來……」或者（而且今日很常見）「我們已完全更新我們的網站……」。

現在，讓我告訴你，人們真正想要閱讀的內容：

1. 他們自己。

2. 嗯……

3. 就是這樣。

我當然不是說你要向人們描述他們自己。先不說別的，光是你列出你特別蒐集到的讀者資料，就足以讓你成為變態跟蹤者。你知道這類事情：

「親愛的某某先生，

您那麼喜歡紅緞四角內褲，絕對會巴不得趕快觸摸我

們新推出的性感野獸系列，本系列以風格特殊的內衣
為主軸，特別適合時下幹勁十足的紳士們。」

不是這樣的，我是指從你讀者的角度來描寫你的產品或服務。不要告訴他們產品為何，而是要告訴他們該件產品對他們有何效用。事實上，我會更鉅細靡遺地描述這一點。告訴他們，你的產品如何能讓他們的生活更便捷、更舒適或更充實。如果你不知道，就要去找出答案、思考或編造出來。換句話說，談談產品的好處（我們會在第5章詳細討論這一點）。

關愛罪人，然後向他們推銷

如果你不想戴上心理學家的大帽子，那麼，穿上神學家的長袍如何？

脫下生意人的西裝革履、褪去刻意塑造的角色、卸除多數人用來把自己和事實隔離的智識武裝，只剩下赤裸裸的人性。結果，我們每個人都是罪人。那麼，何不利用人性最糟的一面來達成你的目的呢？

先想想我們的七大原罪，然後思考如果把他們用在撰寫文案上：

1. **傲慢**（又稱虛榮）——讓讀者信服你的一個簡單方式，就是拍他們馬屁。告訴他們，他們是多麼重要。表彰他們的豐富知識和經驗。他們絕不會否認你的讚美。然後，再向他們提議，像他們這麼善於做出明智決定的人，應該要訂

閱／購買／聽從你的建議。

2. **忌妒**——讓讀者知道，其他人非但擁有你所推銷的產品，而且還因此享受極大好處。沒有人喜歡被遺漏，而且，如果那些被他們認同的人非常愛用某產品（例如明星），則他們也會想要加入使用者的行列。

3. **暴食**——為什麼人們會吃得比他們所需要的還多呢？也許他們喜歡嚐美食。或者，是感覺問題。也許他們需要安撫或慰藉。除非你是推銷食物、或宣傳某家餐廳，否則這項原罪實在和你沒什麼關係。不過，如果你的產品能讓人們在「食用」（使用）時感到快樂和滿足，那麼，你就有銷售契機了。

4. **淫慾**——這一項有點難。可是，你可以對讀者這麼說，成為你的客戶後，則在這方面的欲望將能夠獲得滿足，那麼，你就有成功的希望了。（我還建議，你繼續留任現職未免太大材小用，你應該去當脫口秀主持人。）

5. **憤怒**——人們會被各種事情所激怒。幾年前，我和我的網路服務公司槓上了，氣得我牙齒打顫。給人們一個發洩不悅情緒的管道，他們會感激你的。如果你知道你的競爭對手讓客戶發火（因為服務不佳、產品品質差勁或價格過高等），你便擁有搶奪市占率的籌碼。

6. **貪婪**——對於主攻各年齡層客戶的銷售人員來說，這都是最主要的銷售訴求。人們有時候會想要擁有他們不需要的東西，且常常不滿足於現狀。其中以福利、薪水、尊敬、

辦公室空間、美酒、筆、計算機、假期、車子和衣服為最。向你的客戶保證獲得「更多」，他們便會豎耳傾聽。

7. **懶惰**——人類是懶惰的動物。因此，請說明你的產品或服務如何能為他們節省精力。也許，他們只要坐在辦公桌前，就可以直接從電腦接收到你從網路傳來的東西。或者，你也可以送貨到府，不需要他們親自走到店裡。幫助他們避免勞動，他們便會自動打開荷包。

因此，要記得……

不管你的銷售對象是一般消費者還是上班族，若忽略了這些較為基本的人類情緒，後果你得自己承擔。當然，人們會想為自己的決定找出合理解釋，因此，你一定要提出夠多的客觀原因，說明購買你的產品是明智的抉擇。不過，人們最先是基於情緒反應而購買。所以，別忘了，在銷售文案中，至少要提及這致命七大原罪的其中一項。（順便一提，只有新手才會直接告訴他們的讀者，他們很懶惰、好色或貪心。因此要委婉、有技巧。）

第3章
了解你的讀者

「可是，我怎麼知道我的讀者是什麼樣子呢？」我聽到你心中的疑問。

簡單。你得用他們的頭腦來思考。了解他們的內心。究竟是什麼驅使他們、激發他們，而又是什麼引起他們的興趣？這些都是你在動筆之前必須要知道的事情。

了解你的讀者後，你就會發現，向他們推銷變得容易多了。有時，就連極端細微的錯誤，也會破壞你努力想達成的銷售成效。讓我舉個例子。

最近我接到常往來的銀行所寄來的一封信。信封上的收信人地址和姓名都正確無誤，可是，當我開始閱讀信件內文時，卻發現所用的稱呼既不是「親愛的麥斯蘭先生」，也不是「親愛的安迪」，而是「親愛的客戶」。

他們怎麼會犯這種錯誤呢？這是該銀行的企業金融業務部

主任所寫的信，主旨是在介紹他們的客戶通訊刊物冬季版內容。因此，這封信的主旨——乃至於整個宣傳活動——都是在與企業金融業務客戶建立關係。這會是內部訓練的問題嗎？撰寫者難道不知道信件合併列印的技巧嗎？真正原因反倒像是，他們根本就懶得去**動腦筋**。

我非但沒有感受到「這家銀行了解我、關心我」，反而認為他們只會塞這種「大量製造的垃圾」給我。就算我不是一個專業寫手，我也會這麼想。

是什麼讓你的讀者心動？

小說家需要了解故事人物的內心世界，商業寫手也是一樣，必須對他們的讀者有相同程度的了解。若想吸引讀者的注意，並獲得我們期望的反應，便要能夠體會他們的感受、好惡、希望和恐懼。

我們得記得，他們不光是郵寄名單上的一筆資料、或人口統計學的一個片段。他們是活生生、有氣息的人類，擁有許多和我們相同的感受。因為，他們畢竟與我們無異。全球最成功的廣告公司是奧美廣告（Ogilvy & Mather），套句該公司創始人大衛・奧格威（David Ogilvy）的話：「讀者不是笨蛋，他是你的另一半。」（the reader's not an idiot, he's your husband.）

我是自由文案撰稿人，我必須要能夠向形形色色的廣大群眾推銷（有時得在同一個星期內向不同類型的讀者推銷）。以下列表是我因為工作的關係，而有機會去認識、了解並且接觸

過的讀者類型：

- 睡眠不足、小康家庭的父母
- 歷史學家
- 育嬰室護士
- 企業律師
- 食品雜貨商
- 印度菜愛好者
- 企業負責人
- 人力資源主管
- 孤獨的雅痞
- 知識份子
- 電腦怪才
- 有衝勁的運動員
- 神經緊繃的學校導師
- 投資銀行家
- 小股東
- 業務與行銷主任
- 21世紀知識女性
- 道路運輸工程師
- 大眾傳播系學生

　　每一次，在我下筆之前，我都會先去了解他們的想法。我得設法找出他們正在尋求什麼、他們的痛苦是什麼，以及如何消除他們的痛苦。

寫手寶箱：凌晨三點的問題

　　若想要鎖定讓讀者行動的主要動機，可以向他們提出一個簡單的問題：「是什麼讓你在凌晨三點還輾轉難眠？」

　　你的產品也許能讓他們心動到無法入睡，但如果你連試都不試，那就太可惜了。

要如何知道？

究竟要如何取得客戶資訊呢？很多人依賴以下幾個管道：

- 資料庫報告
- 市場問卷調查
- 目標族群的概要資料
- 郵寄結果分析
- 他們的廣告公司所告訴他們的內容

如果你想依賴二手、甚或三手資訊，而且你只需要獲得將所有顧客一視同仁的集體資訊，那麼，這些都會是很有用的資訊來源。可是，你能從這些資訊中了解個別顧客嗎？能了解人性嗎？你不妨參考我的建議。

我敢打賭你多半是坐辦公桌的，不是躲在屬於自己的隔間，就是被困在無趣的開放式辦公室。會有顧客上門來嗎？我想不會的。你最好將你的專線轉接到手機、在電子郵件上留個「暫時離開辦公室」的訊息。然後，開始去四處造訪：

你公司的店面

你公司的電話銷售中心

你公司的顧客服務部

展覽會場

會議現場

客戶辦公室

當你到達後，開始與顧客們交談。（如果你的文案對象是內部客戶，那麼，請先找出他們工作的地點，再去拜訪他們。例如，可能是工廠或其他部門。**千萬不要**光靠電子郵件。）

觀察他們。與他們見面。和他們交談。找出（或乾脆直接詢問）他們對於你的產品、公司、甚或你個人有何期許。然後，等到下次你以這些人為對象來撰寫文案時，就會擁有**超大**優勢。

此時，你不需憑空想像，就能夠採用正確的語氣。

再也不用懷疑自己是否用對方法。

不會再寫出難以引起讀者興趣的枯燥信函。

相反地，你所要做的，只是把你在店內、電話中或貿易展覽上與顧客說的話寫下來，就可以了。

忠於現實

我最近剛為一份新發行的女性雜誌撰寫郵寄廣告文案。我的事前研究很簡單。我請我內人和其他女性友人各寫一份文案給我。（好吧，我承認，是我打字的，但由她們口述內容。）

由於她們是真實存在的人，我可以看到她們的表情、聽到她們說話的語氣。我知道她們的穿著、年齡、她們的考量，以及促使她們訂閱的條件。

我還可以坐在市集廣場上或我最喜歡的咖啡店，喝著卡布奇諾、翻閱著一疊女性雜誌、看著來來往往的女人們。（當然，我的用意全是為了體會我讀者的心境。）

和銷售員談一談

銷售員是文案寫手的最大資訊來源。銷售員不像我們長時間被困在辦公桌前，他們（至少勤勞的銷售員是如此）的時間多半花在與客戶接觸上面。

因此，銷售員知道如何讓顧客心動。請他們喝杯啤酒，他們很有可能會把這些祕密都告訴你。（如果你本身就是銷售員，請自己喝杯啤酒吧！）

這個做法或許聽來不太實際、或太花時間。也許貴公司沒有銷售員，或者，你的顧客全透過網路進行交易。（嘿，聽過網路聊天室嗎？）不過，你對於你的讀者所知越多，就越容易為他們撰寫銷售文案。如果你對於顧客還是一知半解，那麼，你得使用寫手寶箱的另一項法寶。你的想像力。

我用以下故事加以說明。

電腦雜誌廣告文案

我的第一份兼職文案撰稿工作是為《個人電腦世界雜誌》（*Personal Computer World*）撰寫郵寄廣告文案。我想先在腦海中建立起典型讀者的形象。於是，我便去找我的姊夫。他是電腦專家，而且，他當時也向多家電腦雜誌撰文投稿。

不過五分鐘的時間，他就已經提供足夠的資訊，讓我能夠大致描繪出我的典型讀者。我把這張草圖貼在我的電腦螢幕旁邊，然後便開始為這位有點古怪、但非常博學的傢伙撰寫文案。也許是運氣好，不過，我的這份廣告的確收到了極大的迴響。

直到現在，我的做法還是沒變——在腦中勾畫出今日典型讀者的形象。

　　就算客戶未能提供書面簡介，我只要想著他們，並發揮我的想像力，就能夠對於目標顧客群有非常深刻的了解。你也可以的。讓我們來試試一個簡單的練習。

 練習 1：
他們是什麼樣子？

　　想想有哪些用來描述人們的字眼，然後把它們寫在下列虛線上。不一定要是你的推銷對象，只要一般人就可以。計時兩分鐘。

　　我先列出幾個例子：

忙碌	／疲倦	／有雄心壯志
....	／.....................	／.....................
....	／.....................	／.....................
....	／.....................	／.....................
....	／.....................	／.....................
....	／.....................	／.....................

　　我們可以把這些個性特質概分為兩大類：把避免的事表現出來的人，以及把想要的事表現出來的人。因此，上述三個字眼便可區分如下：

特性	避免……	想要……
忙碌		更多時間
疲倦	壓力／工作過度	
有雄心壯志		金錢、權力

　　事實上，這通常是一體的兩面：在某件事情上想要「更多」，就會在某件事情上想要「更少」，反之亦然。

特性	避免……	想要……
忙碌	待做事項	更多時間
疲倦	壓力／工作過度	睡眠
有雄心壯志	地位低	金錢、權力

　　從你讀者身上找出越多特性，以及他們「避免」什麼和「想要」什麼，則你就越能夠了解他們的為人。

　　在心中勾畫出讀者的形象，不但能夠幫助你了解他們，也能讓你知道該如何下筆，才會使他們從事、思考或感受到你想要他們知道的事情。當然，你手上一定還會有其他關於這些讀者的資訊（你會去搜集吧！不是嗎？），來協助你不致偏離主題。不過，知道他們的消費歷史，並不如知道他們是怎樣的為人來得重要。

練習 2：
如何交個幻想朋友

以下五大步驟非常簡單，能讓你不離開辦公桌，就可以進入讀者腦中、窺視他們在想些什麼。

1. 身體向後靠、放鬆。
2. 閉上眼睛。
3. 在心中呼喚他們。
4. 想像他們和你交談。他們看起來如何？聽起來如何？
5. 請他們談談他們自己。

換句話說，請發揮你的想像力。世界上最偉大（以及最糟糕）的小說家都是這麼做的。在《米德鎮的春天》（*Middlemarch*）、《美國殺人魔》（*American Psycho*）或《梅崗城故事》（*To Kill a Mockingbird*）等小說中，都能夠找到遠比許多廣告文案中還要生動、鮮明及真實的人物。

他們不是真實人物？當然，我不否認。可是，有許多忙得不可開交的大型廣告公司寫手寫出枯燥、毫無生氣的文字來交差，這類商業及銷售文案，目標對象也不是真實人物。

寫手寶箱：恐懼和貪婪

　　要進入讀者腦中有條捷徑，那就是把重點放在恐懼和貪婪上面。這兩種情緒是銷售文案中非常強而有力的誘因。他們害怕什麼？他們渴望什麼？只要把握住這兩點，你便能掌握住你的讀者。

多重讀者的問題

　　我們可以把所有的商業寫作分為兩類：為單一讀者而寫，以及為多重讀者而寫。（單一讀者的情況非常稀有。就連原本只寄給一位讀者的私人電子郵件，也有可能被轉寄給其他人。）

　　由於本書內容著重在為多重讀者而寫，因此，讓我們來思考一個常見的問題。

　　「如果目標讀者有五千人，我該如何描繪出他們的形象？」（或者五萬人、或一百萬人？）

　　好吧，這的確是比較困難。可是，並非完全不可行。想像一位**典型**讀者。在你形形色色的讀者當中，這個人擁有**大家皆有**的特性。比方說，你需要寫一份文案來推銷一個大型的線上拍賣網站，那麼，你應該知道你的讀者喜歡進行交易。你還應該知道他們喜歡、或能夠忍受某一程度的風險，亦即喜歡追求刺激。若非如此，他們就會選擇郵購，或直接去百貨公司購物。

　　你**必須**先找出這位讀者。否則，你將寫出乏味、空洞、毫無吸引力的銷售文案。一邊是陽光普照、百花爭豔的花園，而另外一邊則是雜草叢生、毫無出路的死胡同。

而且，你也很有可能會染上一種非常嚴重的寫手疾病，這種病叫做「代理人導致的讀者多重人格失調症」（Reader Multiple Personality Disorder by Proxy, RMPDP）。

廣告文案撰寫案例：
代理人導致的讀者多重人格失調症（RMPDP）

這大概是我所遇過最奇怪的案例。蕾貝佳居然相信患有多重人格的不是她自己，而是她的讀者。蕾貝佳所寫的廣告信開場白還不錯，可是，由於她病情不幸發作，接著她便開始同時以所有讀者為撰寫對象。

你也許曾接過患有RMPDP的人所寫的廣告信。作者通常會使用「你們有些人」、「你們很多人」，以及「你們那些人」這類稱呼。往往信寫到一半，他們就會從個人化語調轉變成冷淡的非人稱語調。我看到這種信的反應，就是回頭看看「你們有些人」到底指的是誰。

RMPDP患者會把所有讀者同時擺在眼前，就像是叫他們來表演廳或運動場集合一樣。這也許是因為，他們知道某些名單或消費族群對他們的產品比別人有概念，因而無法把注意力放在個別讀者身上。

我給這種病所開的處方，就是大量使用單數第二人稱（「你」）。另外，我也發現，在撰寫者面前放一張讀者畫像，或實際找個人來站在那裡，會有很大的幫助。最有效的處方是，我要撰寫者隨時記得，除了少數例外，讀者多半都是獨自一人閱讀廣告文案，因此，患有多重人格失調的並不是他們。

如果你需要提及較廣泛的潛在客戶族群，不妨使用「有一些人……」。

第4章
淺談商人

　　我大半生的工作生涯都是以商人為對象來撰寫文案，而且通常都是資深業界人士。在此期間，我偶爾會遇到有人這麼說：「嗯，顯然的，B2B（商業對商業）文案難度很高，因為你的撰寫對象是公司。」是真的嗎？只因為我們的撰寫對象是業界人士，就必須使用企業語言嗎？看看我手邊的各式商業信函、電子郵件和廣告手冊，有很多寫手似乎都這麼想。我卻不這麼認為。公司會去買什麼東西嗎？公司能夠同意會面嗎？公司可以簽約嗎？不，不，不。在每一種商業交易當中，不管是否牽涉金錢，交易雙方一定都是人。一個個獨立的個體。他們雖西裝筆挺，但並不表示他們都成了毫無感情的企業雄蜂。

　　這是很重要的觀念。企業經營者、資深主管、電話中心人員：他們都是人，他們都有情感、癖好和個人特質，而正是這些不同的特性，造就了一個個不同的個體。

迷你銷售寫作研討會
如何寫出有成效的B2B廣告文案

　　若銷售對象是業界人士，不妨採行以下效果極大的四步法。

首先──我們的寫作目的是向業界人士推銷

　　不管我們對於讀者還有哪些認識，我們都知道這一點：他們很忙。（順便一提，這和沒時間不一樣。）我們必須切題、而非簡短。對於企業主管而言，如果他們覺得內容無關緊要，就算是只有十個字的電子郵件，他們也不會去讀；因此，內容簡短不見得比較好。

其次──我們的寫作目的是向人們推銷

　　許多B2B廣告文案撰寫人忘記了一個不可避免的事實：業界人士也是人。即使他們是以企業利潤為決策基礎，他們還是會考量他們的決策對自己有何影響。這對於我們這些寫手的啟發就是，我們若忘記讀者也是人，則後果得自己承擔。在商言商，這固然沒錯，可是，也要記得以下幾點：

　　企業執行長（CEO）之所以在乎股東價值，原因之一，是因為他們所領的紅利是根據股東價值增加額來計算。

　　資訊科技部主管之所以在乎網路安全，原因之一，是因為他們的加薪幅度是以病毒入侵公司電腦的天數來衡量。

　　人力資源經理之所以在乎員工曠職狀況減少，原因之一，是因為他們覬覦人力資源總監的職位，以及那間位於邊間、看得到河流景觀的辦公室。

　　換句話說，人們在為公司做決策時，至少有一部分的考量是基於個人原因。體會他們的情緒及動機，你將獲得更多人的全心傾聽。

第三──我們的寫作目的是推銷

下一步，我們的讀者正打算進行商業採購。他們若採取行動向我們購買，對他們的公司業務有何好處，這是身為寫手的我們必須揭露出來、並加以宣傳的。企業優勢可以包裝在以下字詞當中：

省錢
省時間
獲得內心平靜（如果你的推銷對象是那些不想被告上法院的健康管理師或安全部主任，則這一招很有效。）
創造更大利潤
降低員工流動率
提高生產力

你也會有機會向一群決策小組推銷。因此，你必須應付小組內每位成員的需求、動機和不同意見。

第四──我們動筆為文

世上沒有所謂的B2B語言，不過，很多寫手卻不這麼認為，而我也一再遇到讀來吃力的胡言亂語。請盡量用淺顯易懂的語言來表達。可以說「在……之前」（before），為什麼還要文謅謅地說「先於」（prior to）呢？可以說「銷售量大增」（a big hike in sales），為什麼還要文謅謅地說「營收流出現顯著的成長」（substantial revenue stream enhancement）呢？

專業字彙和那些充斥於多數公司、乏味的陳腔濫調是不一樣的，若能夠區分這兩者的不同，對於寫作將極為有利。我有許多愛用的字詞，但目前最喜歡的是「展望未來」（going forward）〔理論上和「回顧過去」（going backward）相對，在商業中很好用。〕

第 5 章
利益優於特性

　　若想成為一位偉大的銷售寫手（既然你已經買了這本書，這當然是你的目標），則你必須要能夠將這些古老的面對面推銷技巧，轉化成紙頁上的推銷（若你寫的是線上廣告，則應該說是螢幕上的推銷）。你需要克服的唯一最大問題，就是要習慣多用「利益」這兩個字，而不是「特性」這兩個字。

　　定義：

利益＝讀者好處

特性＝產品性能

　　銷售文案菜鳥（甚至是已經有不少經驗的寫手）常會把重點放在特性，而非利益。這是個壞消息。為什麼呢？

　　因為讀者對於產品性能一點都不感興趣。哦，當然，他們表面上會說他們感興趣；沒有人會不管性能就恣意購買，是

吧 !?

　　但是，只有利益才會導致成交。

　　那些參與產品製造過程的人和產品太過密切，眼中只看見特性。汽車工程師從事這項工作，是因為他們熱愛引擎、變速箱、繼電器，以及相關零件。一接觸到汽車，他們便精力旺盛，這也是新款汽車何以充滿各種精心設計的原因。你猜怎麼著，他們開口閉口全是汽車。

　　任何產業都是一樣。我為會議公司撰寫直效行銷郵件長達十年的時間。客戶常常本能地刪除廣告手冊中的利益部分，然後盡量把所有議程都塞入內容裡。會議承辦人以為，只有議程最能吸引潛在與會者的興趣。但他們大錯特錯。人們會想知道，他們**為什麼**應該購買，而不是他們買的是**什麼**。

　　你想要證據嗎？沒問題，讓我這麼說吧：

　　有個男人，姑且叫他吉姆吧。他希望自己能對異性有吸引力。如果你想要向他推銷手工皮鞋，只要強調你的皮鞋有這方面的神奇功效，他一定會購買。以相同訴求向他推銷鬍後水，也會有相同的業績。跑車？健身器材？植髮？只要符合需求，就會賣出產品。

　　回到先前的例子，大談產品特性的廣告文案，是為公司／廠商／承辦人所寫，而不是為顧客／潛在客戶／讀者而寫。

重點摘要

☑ 你必須為你的讀者而寫，而且只為讀者而寫。不遵守這一點，絕對會讓他們因枯燥而逃開。

☑ 你必須要比其他類型的文字工作者下更多功夫，因為你的讀者一般不會要求你為他們而寫（就算他們要求你寫，他們也不一定真的會去閱讀）。

☑ 要記得，你的讀者是有七情六慾的人類，懷有各種希望、恐懼、欲求和惡習。

☑ 確實研究。找出關於讀者的一切。發揮你的想像力。

☑ B2B 銷售寫作仍屬於銷售寫作。你還是向人推銷。忘記這一點，就得冒失敗的風險。

☑ 利益是成交關鍵。特性只能做為讀者決定購買的藉口。

第二部分

你說你沒有計畫，
是什麼意思？

「如果你沒有計畫，你便計畫失敗。」

——無名氏

第6章
好吧，
可是你到底想要說什麼？

不管是企劃案、信函、廣告手冊或網站內容，每次人們動筆撰寫銷售文件時，整個人就不一樣了。他們一股腦兒陷入寫作的流程，完全忘記要向自己或讀者清楚闡明他們所欲表達的訊息。

文件內容很長。文件內容囉哩囉嗦。文件內容很**枯燥**。

我在指導其他寫手時，最後常常得一起坐在電腦前，檢討他們的作品。我總是問他們相同的問題：「你到底想要說什麼？」——因為，從內容當中，很難看得出來。

等到他們開口回答，馬上就撥開雲霧見明月。他們有一、兩項想要傳達的訊息，而我很快就了解了。「那你為什麼沒有把這些訊息寫出來呢？」我問道。

如果你想要向人推銷，你得打破冷漠、無情，甚至全然敵視的藩籬。一般來說，人們都不喜歡聽到推銷訊息（不管那些

針對廣告郵件收信人的問卷調查結果如何）。廣告郵件是干擾人們每日工作或好心情的討厭東西。

想要克服他們的抗拒心理，首先得計畫該如何動筆。沒有計畫，只會事倍功半。還記得第一部分提到，要把重點放在哪裡嗎？你的讀者？一切都要以他們為中心。

每當我在銷售寫作研討會上問大家，影響他們寫作的唯一問題是什麼，最常得到的答案，就是「寫手障礙」。他們指的不是獨自坐在陋室、盯著空白紙張或螢幕這類令人痛苦的情況。這些人都是企業主管。他們的意思是，他們知道自己必須寫出一封銷售信函，可是，他們不知道該從何下筆、該說什麼、或先說什麼。

我再問道，有多少人在敲打鍵盤之前，會先擬定寫作計畫，通常一個人也沒有。這就是問題所在。在沒有計畫的情況下，一切都變得非常困難。如果不先想想「我該朝哪個方向動筆？」，則很難用令人耳目一新的措辭，寫出有說服力的句子。

先想想、再動筆

展開新文件的最佳方式，是先坐下來、遠離你的電腦，只花腦筋**思考**——要很冷靜。一旦動筆撰寫以後，會因此省下許多時間。

你需要先思考以下六大問題（並加以回答）：

1. **我想要達成什麼目標？**改變讀者心意？激發人們？讓某人去做某事或去買某樣東西？

2. **我的寫作對象是誰？**我對此人有何了解？要記得，就算會有很多人閱讀你所寫的東西，你還是要當做只有一位讀者的情況，來進行規劃（與撰寫）。

3. **我要說什麼？**在動筆寫作之前，你手邊必須要具備所有的論據和背景資料。別忘了，要把重點放在讀者的需求上，而不是你的需求。

4. **我有多少篇幅？**理想中，在寫作時，不應該受到人為的長度限制所影響。你要能夠說出所有需要說的事情，然後再停筆。當然，這在現實世界裡是行不通的。在動筆之前，應該要先知道你的廣告格式是一張A4大小、大約500字的單張，還是A5大小、長達六頁的小冊子。

5. **我要用什麼口吻？**友善、親切？權威、博學？獨立、公正？這會影響你的說話語氣和選用字眼。我們會在第16章詳細探討說話語氣。

6. **我有多少工作時間？**截稿日期是不可抹煞的事實。學會在期限內交稿，則你的客戶（內部或外部）會感激你的。延遲交稿，無異是把「最受歡迎的員工／自由寫手」獎項拱手讓人。

以上六大問題中，以第一項最為重要。本書談論的是銷售寫作，或者，至少是有商業目的的寫作。這表示，你想要別人

為你去做某事。

先在紙上塗鴉，不要碰電腦

　　現今人們多半直接用電腦撰文，我也不例外。我們盯著電腦螢幕看的時間佔去了生活的一大部分，除了對我們的眼睛不利之外——更別提你的姿勢、頸部、背部和手臂肌腱——這也不是什麼好的計畫方式。你知道你會花很多時間坐在螢幕前撰寫文案，因此在規劃時期就應遠離電腦，不要增加使用電腦的時間。還有，螢幕上那個不斷閃動的小游標，很有可能讓你在計畫時就提早出現寫手障礙。因此，我建議你改用以下做法。

1. 起身離開辦公桌，改坐到別的地方。讓自己舒服。現在，你已經準備好了。

2. 紙和鉛筆是最無牽絆的組合。沒有什麼東西一開始就完美成形；沒有什麼東西是不容修改或重新草擬的。

3. 把你所有想到的事情都記錄下來。如果你喜歡讓資訊形象化（我有個好朋友就是這樣），則不妨塗鴉幾筆。用虛線或箭頭把構想連接起來。畫個思考地圖。如果有用的話，也可以把你的想法用錄音機或數位媒體錄下來。

4. 盡量避免寫出完整句子。正式撰寫成篇文章時已經夠困難，因此，在計畫的階段裡，不要再把時間浪費在這上面了——你最後會花太多時間擔心語法，而無法把所有構想都記錄下來。寫作是右腦的創意行為，這和以左腦邏輯來

規劃是兩種完全不同的心理過程；不把兩者混為一談，絕對是有幫助的。

列出大綱

此時，你需要記下所有的想法，因此，只要列出大綱即可。你可以只寫下幾個關鍵字，以便之後瀏覽時，能夠回想起重點。為便於下一步的進展，你可以把大綱寫在立可貼上面。每回有新的構想出現，就拿張立可貼寫下來，並貼在牆上。等到你記下所有的構想之後，就可以將它們分組、歸類。

在這個階段，你應該開始把構想轉換成主題。你會有幾個主要想法，而其他次要的意見都可以歸屬在這幾個想法之下。舉例來說，假設你寫的是商業提案，你可能會想陳述以下幾大部分（或主題）：

- 這對讀者有哪些好處？
- 我們的功能
- 我們過去的業績
- 成本和時間安排
- 專案背景

這只是將你的所有構想進行初步整理，如果你發現兩、三項主題有重複的構想，則可以把它們分開，然後決定哪些大綱屬於哪一主題。這麼做能夠避免你的定稿文件內容中出現重複的情形。

最後，計畫出爐

最後成果是一份簡單的書面計畫，以 A4 單面篇幅最佳。這份手寫文件（或一疊立可貼）最後會發展成一份以電腦打字的正式計畫。

- 這份正式計畫的最上方是撰寫目的。
- 如果是長篇幅的文件，則以邏輯順序逐項列出章節。
- 如果是短篇幅的文件，則列出各段落構想。
- 它會完整描述開頭、中間部分和結尾。
- 它會涵蓋各種陳述重點的方式。

信不信由你，現在你已經可以動筆了。如果此時你突然贏得彩券，決定把獎金拿去坐豪華郵輪，運氣沒有你好的同事也能夠幫你完成這件案子。

第7章
撰寫目標

讓我們從第一段開始，闡述你的廣告目的。不會很複雜，我們只需要回答一個簡單的問題：「這份文件目的何在？」要記得，你的銷售文件代替了親自拜訪，取代了與顧客或潛在客戶進行對話。因此，它必須要達成你想要達成的目的（或貴公司業績最佳的銷售代表能夠達成的目的）。

以下列出幾個可能目的：

- 銷售
- 鼓勵試用你的產品
- 獲得潛在客戶資料
- 將貴公司業務列入某一推銷名單
- 向你開戶

- 向你消費
- 轉帳付款
- 更新合約
- 安排會議
- 邀請對方來訪

目的才是你的寫作動機。至於「創意」，不管它在你心中

定義為何，都不該成為你的寫作動機。

「創意」難以糊口

我喜歡大衛‧奧格威對於創意的闡釋：「我寫廣告時，不希望你告訴我它很有『創意』。我希望你覺得它非常有趣、讓你願意因此購買產品。」創意的問題如下：

作家──就連銷售寫手也一樣──多半天生就有創意，而且，有很多人喜歡賣弄文字。我想這也不無道理──木匠喜歡玩弄木頭，我猜想鐵匠則喜歡把玩鐵器。可是，我們必須確定，我們的玩興本身不會成為目的。

在幾種情況下，你得丟棄你的草稿內容。如果你的草稿內容讓你發笑，這是第一個跡象。如果它讓你高興得向同事露出「看看這個」的微笑，並與他們分享內容，則是第二個跡象。關鍵點在於，要問問自己，它是否能說服讀者購買，若你的答案是「不能」，則是你忍痛割愛的時候。在創意寫作圈中，這個時候就是作家的抉擇點。**「殺了你一手創造的寶貝吧！」**

好的，說到哪裡了？哦，是的，寫作目的。請謹記SMART（聰明）口訣。天知道，在這個世界上，各種管理語言早已氾濫不堪，我當然無意推波助瀾。不過，我所提的這個英文縮寫確實有用，目前只有極少數的銷售撰寫者聽過它，更遑論會有人花時間研究如何加以應用。

SMART目的

我在銷售寫作研討會上，要與會者告訴我，SMART是哪些英文字的縮寫。起初，大家含糊咕噥著，隨著越來越多人去挖掘塞滿腦中的各種陳腔濫調的管理語言，討論這才逐漸熱烈起來。

這些英文字包括：

Specific（具體）、**Measurable**（可測量）、**Achievable**（可達成）、**Relevant**（切題），以及 **Time bound**（有時間性）。

如果你在寫作計畫上，開宗明義的目的是「提昇品牌知名度」，這絕對稱不上「聰明」。你一定能想得到的立即反應就是：「從哪裡到哪裡？」

比較聰明的做法應該是：「從一月一日至三月三十一日之間，吸收125位新顧客，每人至少消費100萬元。」

在此鄭重聲明，以下幾個寫作目的既不「聰明」，也不合情理，可是，從許多廣告、提案和銷售信函內容卻可以看出，有很多寫手喜歡使用這些目的。

- 讓我對自己很滿意。
- 讓我和同事大笑。
- 向我老闆證明我很聰明。
- 贏得廣告創意獎。
- 讓我在圖片庫上買照片的錢花得值得。

第8章
完美計畫之速食記憶法

好的。你已經訂出你的廣告目的。你希望提高銷售業績。很好。你希望在今年會計年度內，能多出100萬元的銷售額。非常好。你希望多獲得100萬元的銷售額，而且每筆生意成本降低三成。太好了。

要如何達成這些目標呢？你希望你的銷售文件能發揮什麼效用？

寫作時，你需要將你的目的再細分為幾個小目標。讓我告訴你一個簡單的記憶法，它能有效帶你走上正確方向。這個祕訣就是 KFC（譯註：和肯德基炸雞英文縮寫相同，好記吧！）：我需要讀者在讀過我的文案後，知道（know）和感受到（feel）什麼呢？我又希望他們承諾（commit）什麼呢？

這個簡單的英文縮寫怎會有如此大的效力呢？請讓我詳細說明。

K（知道）

這全和知識有關。這裡的知識指的是事實。儘管我之前嚴詞反對以產品特性為主導的廣告文案，可是，你還是需要提及與你產品相關的事實。你要提供給讀者重要資訊，讓他們覺得向你購買是正確的抉擇。

F（感受）

這是最重要的關鍵點。你希望讀者感受到什麼？這也是個難以回答的問題。每次廣告客戶向我進行專案簡報時，我都會問這個問題。有些人絞盡腦汁。他們會說：「我希望他們覺得我們每個月都提供2,000則最新公司資訊。」我說：「這不是一種感受；這只能算是事實或非事實。你希望他們**感受**到什麼？」

F陳述應該如下：
「對於有可能成為我們的顧客感到非常興奮。」
「擔心如果再不行動，就會錯失良機。」
「感到很安心，因為我們是值得信賴的生意夥伴。」
「羨慕那些已經是我們客戶的人。」
「極度渴望加入我們。」

讀者都會感受到不可證明性。這些是情緒反應，而且很難去證明、確認或衡量。至少我們這些寫手做不到這一點。不

過，重點在於，如果你能讓讀者感受到以上任一項，則他們極
有可能會向你購買。

C（承諾）

　　銷售人員稱它為結案（close）。廣告文案稱它為行動號召
（the call to action）。你得決定你想要讀者**做**什麼。也許是很簡
單的事：立即購買。也許是稍微複雜一點的事：推薦給朋友。
或者，要他們翻開行事曆，挪出兩天，從高雄前來台北參加研
討會。不過，不管是什麼，你都得具體、直接。不要含糊不
清。**確切**告訴他們，你想要他們做什麼、什麼時候做，以及該
怎麼做。

　　我認為，也許所有銷售寫手都能做到K這一點。幾乎很少
看到完全不向讀者提及事實的廣告文案。有很多人也能做到C
這一點。就連那些最愛打混的老手、或最菜的菜鳥都知道，你
得要求讀者做某事。可是，只有極少數的寫手能夠深入讀者內
心、引出他們的情緒反應。換句話說，就是要做到F這一點。

　　我之前提過，這是讀者決定購買的關鍵點。好消息是，對
於寫手來說，構思F其實更有趣，也更具挑戰性。你需要描述
故事、刻畫圖像、將你的讀者納入你的銷售賣點，並且帶著他
們一起遨遊在你的文字當中。

　　若你能嚴格遵守KFC規劃法則（如果不遵守，又何必瞎忙
這一場？），你便會發現，其實你把標準訂得相當高。想要寫

出能夠吸引讀者（或讓他們擔心）的文字，必須思考多時，並
且花費更多心力。可是，這也不像許多寫手所想像的那麼困
難。而且，有耕耘必有收穫。稍後我們會談談幾個如何做到
KFC的寫作技巧。

第 9 章
了解你的產品

　　我們動筆撰寫廣告文案時，心中所想的多半是我們所銷售的產品。但是，我們常常把重點放在它**是**什麼，而不是它**能做**什麼。這是很自然的事情。畢竟，如果你的產品是影印機，那麼，你滿腦子一定都是關於影印機的一切。如果你的廣告客戶是名牌眼鏡公司，則你心裡所想的，多半是名牌眼鏡。

　　問題在於，這並非強效銷售寫作的做法。它可能屬於敘述性寫作，可是，光是描述產品，實在很難把產品推銷出去。因此，你要提防那些產品製造人員介入廣告文案的撰寫過程。他們太鍾愛自己的產品，眼裡容不下產品以外的層面。向影印機設計者詢問工作內容時，他們開口閉口一定都是「設計影印機」。身為銷售人員的你，應該要從「設計省力裝置」的角度來看待他們的工作。

　　名牌眼鏡也是一樣。與雜牌眼鏡相較，名牌眼鏡並不會讓

人們看得比較清楚（這只和鏡片有關）。可是，它們卻能給予人們優於雜牌眼鏡的**感受**。

你的顧客不在乎你的產品本身。他們只在乎你的產品能為他們做什麼。它能否省時？省錢？讓他們看起來光鮮亮麗？讓他們看起來有成就？讓他們致富？這些論點聽來耳熟，沒錯，我們又回到「利益」這個詞上面。你知道的，就是顧客能夠得到的利益。知道你產品的一切事實，能讓你處於優勢。可是，若想要把產品推銷出去，則必須從利益的角度，**誇大其辭地**描述這些事實。

以下我用三種產品為例，分別列出從製造者的角度與其他角度（如：顧客的角度）所呈現的觀點。

產品：高價鋼筆

表面上是：撰寫工具

表面競爭對象：原子筆和鉛筆

實際上是：地位象徵、高級禮品

實際競爭對象：名牌皮夾、高檔手錶、珠寶

產品：哈雷摩托車

表面上是：個人交通工具

表面競爭對象：他牌摩托車

實際上是：叛逆和自由的象徵，防止男性魅力消退的護身符（或者，至少對於那些四十四歲以上的會計師、頭髮稀疏、或

身上刺青的人來說，購買動機是如此）

實際競爭對象：跑車、植髮、男性整形手術

產品：彩券

表面上是：賭單

表面競爭對象：賓果遊戲、吃角子老虎

實際上是：廉價的逃避主義

實際競爭對象：雜誌、巧克力

練習1：
你實際銷售的產品

何不拿你自己的產品或服務來試試看？

產品：

表面上是：

表面競爭對象：

實際上是：

實際競爭對象：

現在，你已經開始了解你產品的真正特性，動筆宣傳時，你便處於更強勢的地位。你不光是描述你所推銷的東西，你還能描述它可以為你的讀者做些什麼。

證明，不要直說

銷售訓練老手間流傳著一句格言：「推銷，不要直說。」
這正是本章主旨。這意味著，要把重點放在利益，而非特性上
面。不過，本階段有另外一種做法更適合我們這些寫手。那就
是：「證明，不要直說。」

我們需要為讀者描繪一張圖像；一張擁有我們的產品及沒
有我們的產品的生活圖像。

寫手寶箱：描繪圖像

要讓讀者了解你的產品能夠為他們做些什麼，有個簡單卻
又非常有效的方式，那就是使用這樣的開場白：「請想像以下
情景……」。郵輪公司的廣告文案經常使用這種方式，而且效果
出奇的好。它能讓你直接進入適當的描述式寫作內容──描述利
益──而且，它還幫助你讓這些利益形象化。

在描述一個「缺少你的產品」的生活時，一定要使用灰暗
的語氣。你所示意的是負面的後果、慘澹無光的未來。不過，
要隨時為他們帶來光明希望；不要讓讀者心灰意冷。

讓我們來把玩結果

為協助你成功找到通往讀者內心的道路，以及寫出最能創
造廣告效益的文案，你可以使用以下這組問題。不要因為它們
表面上看起來很複雜，就猶豫不行動。你只需要有系統地解答

各項問題就可以了。儘管兩兩問題之間看起來似乎彼此相對，但「會發生」和「不會發生」兩者各有不同含意，會引出表面相近、但意義差距甚遠的答案。有時候，你甚至能從你的答案中獲得有力的廣告詞。這些問題如下：

1. 如果讀者**確實**做出你想要他們做的事情，**會**發生什麼事？
2. 如果讀者**確實**做出你想要他們做的事情，**不會**發生什麼事？
3. 如果讀者**不去**做出你想要他們做的事情，**會**發生什麼事？
4. 如果讀者**不去**做出你想要他們做的事情，**不會**發生什麼事？

為便於回答，不妨把它們劃分為矩陣〔假設我要你描述我的通訊刊物《麥斯蘭談行銷》（*Maslen on Marketing*）〕：

不去做	確實做
會發生	**會發生**
● 得依賴自己的構想	● 會成為較佳寫手
● 會錯失重要的構想來源	● 能獲得免費的廣告文案撰寫祕訣
● 會落後同事	● 每個月都能獲得新構想
不會發生	**不會發生**
● 無法得知你的同事所獲得的構想	● 不會犯下常見的錯誤
● 無法看到最新廣告文案資訊	● 不會陷入瓶頸
● 缺乏別人所擁有的靈感來源	● 不用擔心如何維持最佳寫作品質

第10章
殺手架構

在1950年代，美國廣告文案寫手在設計肥皂粉等家用商品電視廣告時，會使用一個簡單的英文縮寫：AIDA。這是個陳舊過時的電視廣告製作公式，即使人們陸續為它冠上其他名稱，但一百多年來，銷售人員還是能夠看出箇中要素，那就是Attention（注意力）、Interest（興趣）、Desire（渴望），以及Action（行動）。

這項公式是說，若想要賣出產品，你得先吸引潛在客戶的注意力，然後讓他們對你所要說的話感興趣，再使他們渴望擁有你的產品，最後引誘他們採取行動。

不過，由於現今人們越來越不信任別人，甚至到了憤世嫉俗的地步，因此最好還要能夠讓你的潛在客戶——你的讀者——相信你。於是，我們把公式修改成AIDCA，那就是Attention（注意力）、Interest（興趣）、Desire（渴望）、Conviction（說

服力），以及 Action（行動）。

這是優良銷售寫作的強力配方，你應該把它放在寫手寶箱的最上方，與利益及破解讀者動機放在一起。現在，讓我們詳細說明各項步驟，使你了解如何將它應用在文案寫作上。

A 代表注意力

想要與人展開對話，得先引起他們的注意力。否則，你只是在浪費精力。銷售寫作也是一樣。讀者一定要先接收到你的訊號，才能夠聆聽你的銷售訊息。因此，我們必須獲得他們的注意力。可是，要怎麼做呢？你的文案中，帶有吸引注意力功能的，就是標題。不過，我們要稍微區分一下。如果你寫的是電子郵件廣告，則你的標題要置於主題欄中。如果你寫的是郵寄廣告，則標題當然位於信函的最上方（請告訴我，你會這麼做）。不過，信函之外還有信封。這是吸引讀者注意力的首要機會（可能也是你的最後機會）。

哪些標題最有效？

美國有家大型廣告公司曾做過平面廣告標題實驗。他們將同一份廣告分別印上三種不同的標題：一個傳遞消息、一個承諾利益、一個引起好奇心。

你認為哪一個標題脫穎而出呢？（答案請見下方）

承諾利益的標題勝出。

在寫作研討會上，我請與會者投票，他們通常會選擇「揶揄」的標題——也就是引人好奇的標題。我猜他們的想法是，如果你提出一個謎題，人們多半會感到好奇，並且想要找出答案。但這種思考方式並不適用於現實世界，原因如下：

如果你的標題是：

為什麼自由文案撰稿人都很像杏果乾呢？

很多人的反應是：「我不知道，我也不想知道。」

你必須記得，如果是平面廣告，則你的文案會夾雜在其他文章當中，而這些文章正是讀者付錢購買、想要閱讀的東西。他們為什麼會停下手邊所做的事——像是閱讀汽車或音響資訊——然後去解答你的小謎題呢？如果他們喜歡解題，他們會去玩數獨（sudoku）。

另一方面，如果你的標題是：

自由文案撰稿人如何能幫助你業績加倍

我想，他們會渴望知道更多。

事實上，之前提到的那家大型廣告公司還進一步測試結合三種要素的標題效果，也就是同時傳遞消息、承諾利益和引起好奇心，結果，他們發現這是效果最佳的標題。

下標題可能是銷售寫手這個工作最困難的部分。你必須阻止讀者翻頁、刪除你的電子郵件，或把你的郵寄廣告丟進垃圾桶。你必須先總結你的產品或服務的主要利益。你必須誘使他

們去閱讀廣告內文。這全都得靠這十幾個字。

不過，努力是有代價的。讀標題的人數是讀正文的四倍。因此，你也得投注時間在標題上面。

何時撰寫標題

關於撰寫標題的最佳時機，有兩種派別。第一種認為，先定標題。先花點時間和精力來寫標題，內文便可信手拈來，滿足標題所提出的承諾。

但缺點是，你很可能整個上午都盯著空白的螢幕或鍵盤，草擬的速度從慢到快，最後，鮮血開始從額頭滲出。

第二種派別認為，先寫內文，直接全力推銷你的產品。然後，等到完成後，你可能在起草內文時「不小心」想出一個標題；或者，在撰寫過程中，你已經完全解放內心，可以使用內文的概念和構想來下標題。

其缺點是，最後你可能只會想出一個中規中矩的標題，而且你已經沒有多少時間另行思考出絕妙的標題。

我不斷地講「一個」標題。在現實中，你會希望能列出十幾個標題，然後，從中選出最好的一個，並在過程中不斷修改、融合其他構想。這並不容易。事實上，這麼做非常困難。正因如此，才會有像我這樣的人專以撰寫銷售文案和廣告維生。

沒有孰對孰錯。你得親自試過兩種做法，然後找出最合你意的一種。但我還是能提供一個祕訣：如果你選用第二種派別

——最後才下標題——則一定要先在文案上方的標題處，寫下一個暫時標題（簡單的替代標題）。暫時標題可以是這樣的：

馬上購買瓦金斯驚奇產品

（老實說，這個標題已經比你在平面廣告上所看到百分之七十五以上的標題都來得好——至少，它寫出了產品名稱，而且要求顧客購買。）

關於標題，還有一點。**千萬不要**在標題尾端畫下句點。即使它在文法上自成一句也一樣。為什麼呢？嗯，想想看。句點對讀者有何暗示？沒錯，停止閱讀。這和你想要讀者做的事情剛好相反。不畫句點能夠微妙地鼓勵他們繼續閱讀，看看第一個句點在哪裡。屆時，你會希望你已經吊足胃口，讓他們想要閱讀更多內文。

多長？

「標題應該要多長？」

這是寫手常會提出的問題，且不好回答。有三種答案：

「只求發揮效果，多長都可以。」
「10到14個字。」
「不要超過一行。」

某知名人壽保險，其廣告標題就是個強力有效的一例。

「死也兌現、活也兌現」（Cash if you die, cash if you don't）

這句標題只有短短八個字，其中有兩個詞是有力的情緒字眼：「兌現」和「死」。

要記得，標題不需要涵蓋所有資訊。只要能引起讀者注意，讓他們想要知道更多就可以了。一般來說，標題越短越好。不說別的，版面設計者可以讓短標題的字型遠大於內文；而這麼做，也能吸引讀者的目光。

寫手寶箱：標題速成

　　如果你苦思半天仍想不出標題，不妨使用「如何」或「現在」這兩個詞。

- 銷售經理如何在每季提早一、兩週達成業績目標
- 你該如何在不犧牲品質的情況下節省菜錢
- 如何在城市叢林中求生
- 現在，有一種製作完美蛋餅的新方法──成功率百分百
- 現在，更高的品質、更低的價格
- 現在，就讓你的高爾夫球讓點降到應有的水準

圖像吸引讀者

當然，想要引人注意的最簡單方式，就是給他們看個醒目的圖像。報紙都是這麼做的。但麻煩的是，如果你賣的是滾珠軸承怎麼辦？或者管理報告？或磚塊？嗯，以下三項圖像種類要避免使用：

- 半裸的女人拿著你的產品（除非你賣的是女性內衣褲）。
- 「商人們」彼此微笑。
- 斑馬、鯊魚、貓鼬、大麥町狗等動物。

盡量直接使用你產品的照片；或者，至少要和內文相關的圖片。你覺得單調的圖片，讀者不一定這麼認為。你也可以僱用專業攝影師、為產品打上適度燈光，並從比較有趣的角度來拍攝。

I代表興趣

好的，你已經阻止讀者翻頁、按刪除鍵，或把你的信函揉成一團、丟入垃圾桶。接下來呢？此時，該讓讀者對你所推銷的東西產生興趣了。不過，我們已經知道，你的讀者對於你所賣的東西一點興趣都沒有。他們只想知道你的產品能為他們做什麼。還記得我們的WIFM電台嗎？此時該是大聲且清楚播音的時候了。

你的讀者遭遇問題。他們也許壓力大、無聊、孤單、不滿、飢餓、滿懷雄心壯志。你的工作就是設法把你的產品和他們的問題搭上線——成為解決方案。

有一種做法是告訴他們，你了解他們的感受。就像是伸手搭著他們的肩膀一樣。然後，你可以承諾完全驅走他們的問題。他們所需要做的，就是購買你的產品。只要記得，你所描

寫的是解決方案,而不是問題本身就可以了。如果是描寫問題,則會產生負面的影響。

　　嘗試回答這個問題:「如果我的讀者做了我們想要他做的事情,他的生活將如何獲得改善?」請在第一句或第一段中回答這個問題。不要讓他們等候。而且,由於未能百分之百確定讀者真正的興趣為何,所以,提出越多利益越好。盡量使用具體、明確的例子。

確保你的銷售文案是FAB

　　我們在第5章比較過利益和特性之間的不同。不過,兩者之間還有一個階段,是要介紹優勢。請記得使用FAB這個公式——特性(features)>優勢(advantages)>利益(benefits)。

　　特性是事實,也就是你的產品資訊。優勢是它之所以優於其他產品的原因。利益則是這份優勢能為你讀者的生活帶來哪些不同之處。以下舉例說明:

F　這輛車裝有雙氙氣大燈。

A　它們比傳統的鹵素燈亮度還要高出百分之三十。

B　這表示你在夜間開車會更安全。

利益是什麼?

　　只要你的讀者認為有價值的,都是利益。只要你的產品或服務能讓讀者生活更便利,都是利益。以下是幾個屬於利益的

例子：

- 賺錢
- 省錢
- 幫你把錢花在刀口上
- 省時
- 獲得像好萊塢明星般的笑容
- 更享受人生
- 健康
- 供養家庭
- 讓家人更安全
- 幫助子女學習
- 交朋友
- 得到尊敬

- 升職
- 去除浪費
- 不觸法
- 快樂
- 擁有夢想已久的房屋
- 獲得期待已久的假期
- 獲得心靈平靜
- 減重
- 擁有完美身材
- 每晚睡眠充足
- 不再擔心債務問題

　　如果你有興趣，我還可以列出更多。現在，告訴我，當你承諾以上這些利益時，最不希望讀者問你什麼問題？沒錯，就是：「那又怎樣？」

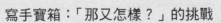

寫手寶箱：「那又怎樣？」的挑戰

　　大聲唸出你的文案中宣傳利益的部分。現在，設想讀者的反應。如果他們說：「那又怎樣？」那麼，你所寫的就不是利益。如果他們在提問「那又怎樣？」之後，會覺得自己很愚蠢，那麼，你便正中靶心了。

 **練習 1：**
特性和利益

在此有個很棒的簡單練習。隨便拿個日常生活物品（這要比你的產品有趣多了——除非，你的產品**就是**一種日常生活用品），再拿出一張紙，於左欄寫下該物品的特性，然後在右欄分別寫下相對應的利益。請發揮創意。

如下：

物品：迴紋針

特性	利益
重量不足一克	用來夾信函不需多付郵資
鋼絲做成	不會因折斷而讓你遺失重要文件
可回收利用	幫助保育自然資源
末端平滑	不會劃破或刮壞你的紙張
各種顏色任你選	便於存檔、能夠快速找出所要的文件
經過鍍鋅加工	不會生鏽而弄髒你的紙張
一盒有兩百個	需要時絕對夠用
地方廠商製造	高品質技術讓你安心；你支持本國經濟
橢圓造型	牢固地夾住你的文件，不用擔心鬆脫
可拉直成一條鋼絲	可用來打開卡住的光碟槽

銷售 NIB：尊榮、立即和基本等三大利益

　　思考利益時，可以考慮使用以下三種類別的利益，來為你的廣告文案加分。這三種類別都很重要，作用方式彼此稍有不同。

N　尊榮（Noble）

　　這是人們自認會受到吸引的利益。讓我們假設你的推銷對象是企業高級主管，而你的產品能讓他在退休後仍為公司留下寶貴資產。

　　此處的尊榮利益是「將你的智慧和經驗傳遞給下一代領導者」。對於那些熱愛給人公正無私的形象、以他人福祉為中心的高級主管來說，絕對是最熱中的話題。

I　立即（Immediate）

　　有一種簡單的小利益，是每一種產品都應該能夠提供的。如果略過不提，則不是太傻、就是太懶。諸如免費運送、買四送一等等，都屬於這一類。（是的，我知道後者比較像是誘因、而非利益。）

B　基本（Basic）

　　第 2 章提過，你必須知道激勵你銷售對象採取行動的真正原因為何。以企業高級主管來說，不大可能是利他主義。是什麼樣的人有動力、野心，以及蠻幹的精神，才能夠一路爬到高位呢？是那些自我意識如山高的人。

向他們宣傳自我訊息的利益——例如,告訴他們:「我們能讓你看起來很炫」——那麼,你很可能就走對方向了。

具體

宣傳利益時,具體的言詞對你會有幫助的。不,我應該說得明白一點:有**很大的**幫助。現今(也許一直如此)人們對於銷售主管所做的聲明都採懷疑態度。這是很自然的。「是哦,你會幫我省錢。每個人都這麼說,我憑什麼要相信你?」

他們會相信你的,因為你的描述非常具體。換句話說,你會告訴他們,他們能夠省下多少錢。你的標題應該是這樣的:

> 瓦金斯驚奇產品如何為這位企業主管每個月省下3,250元

 練習2:
具體說明利益

讓我們以之前提到的利益做練習。看看你能否為以下各項利益找出具體說法。我用第一項舉例說明:

賺錢

不用換工作,就能每個月多賺1,000元。

省錢

幫你把錢花在刀口上

省時

更享受人生

健康

供養家庭

讓家人更安全

幫助子女學習

交朋友

找到情人

得到尊敬

升職

去除浪費

....

不觸法

....

快樂

....

擁有夢想已久的房屋

....

獲得期待已久的假期

....

獲得心靈平靜

....

減重

....

D 代表渴望

對某件事有興趣是一回事，想要擁有它又是另一回事。人們想要擁有的東西只占他們有興趣事物中的一小部分。

因此，我們這些廣告文案寫手必須確保我們所推銷的東西能進入這個位於核心的小圈子。凡是人們想要的東西，都有共通的迷人特色，那就是：當有人想要擁有某樣東西，他們就會說服自己真的需要這樣東西。他們會發明出原因和藉口。

　　想要分辨需要和渴望的不同，有個簡單的方式。（我在寫作研討會上提出這個練習，結果總是相同。）

　　假設現場有十位女性。請問她們，凡是曾經購買過她們不渴望擁有的鞋子，請舉手。沒有多少人會舉手。

　　現在，再問她們，凡是曾經購買過她們不需要的鞋子，請舉手。很多人舉手。

　　男性也是一樣，只要把物品換成高科技小玩意兒就可以了。

 練習3：
需要和渴望

　　我們有四種產品，分別是A、B、C和D。它們的需要性和渴望性如下：

A　需要性低、渴望性低　☐
B　渴望性低、需要性高　☐
C　需要性高、渴望性高　☐
D　渴望性高、需要性低　☐

　　我要你把這四種產品的銷售容易度從低到高、分別給予1到4的分數。請把答案寫在右邊的方格中。

　　現在，如果你的情況和產品A一樣，則你的任務便相當棘手。不過，你實際的產品屬於以上哪一項並不重要；重要的是你如何描寫它。你必須讓人們覺得，你的產品是屬於C的情

況。也就是說，他們既需要、又渴望擁有。

以下提供幾項引發人們渴望的策略。

注入活力

我在撰寫本書時，正等待之前購買的經典復古汽車裝修完工。在我決定車子裝修的程度之前，我先擬好預算。可是，等到我坐進駕駛座、並聞到它的氣息時，金錢已變成次要的考量。因為，我就是想要**擁有**它。

我彷彿可以看到自己開著它，馳騁在住家附近的鄉間道路。我可以聞到真皮座椅的氣息、觸摸到紅木儀表板。我可以聽到別克 V8 引擎低沉的渦流聲。哦，天哪！我實在太想擁有這輛車了。在我心中，它已經是屬於我的了。我不僅擁有它，而且已經開始過著有它的生活。

如果我為這家幫我裝修汽車的廠商撰寫廣告文案，這**正是**我會使用的台詞。我會邀請讀者擔任故事中的主角，而這個故事正是關於他們自己，以及他們和我的產品所共同創造出來的美好人生。

如果你所推銷的產品較屬於解決問題類、而非滿足需求類，那麼，可以試著刻畫出讀者購買你的產品後所得到的安逸和平靜的畫面。讓他們看到，一旦擁有你的產品，麻煩就會馬上終止。

限制供應

想讓讀者渴望擁有你的產品，最佳方法也許就是以某種方式限制供應。或者，說得更具體一點，便是使用以下兩種方式之一。

你可以限制供應時間，訂出一個截止日期，在此之後，便再也買不到。迪士尼公司的錄影帶廣告便成功使用這項策略。你還可以稍微改變這項策略，讓你的產品隨時都可買得到，但特價只限某段時間。或者，你也可以限定產品的供應數量。以會議或特別活動為產品範例，說法如下：

> 但請趁早，場地需求熱烈，而且我們必須將與會者限定在120人以下。訂位嚴守先到先得原則。

你也可以稱它為「eBay效應」。無論你是否實際參與過eBay拍賣，你都可以看到拍賣結束前人們瘋狂搶標的盛況。這種行為來自於人們搶便宜的心態：**我們都不喜歡看到自己錯失了什麼人好機會。**

儘管經濟學家米爾頓・傅利曼（Milton Friedman）宣稱：「天下沒有白吃的午餐」，我們依舊相信自己能夠找到沒有附帶條件的好買賣，以勝利者的姿態離開。把這種人類心態寫入文案中，你便走上成功交易的正軌。

寫手寶箱：激發渴望的要素

　　你不妨藉由以下幾件事（告訴他們或設法向他們證明），讓人們想要擁有你所銷售的東西：

- 他們是特別被挑選出來的幸運者。
- 他們是第一批擁有這項優惠的人。
- 他們所尊敬的人已經擁有X產品。
- 只有你／你的產品能創造出他想要得到的利益。
- 若不行動，他們有可能趕不上他們的競爭者。
- 數量有限。例如：只有十份免費樣品；特惠將於一月十五日截止。
- 你產品的價格比其他業者低廉。
- 擁有你的產品一點都不難。

C代表說服力

　　好的，你已經引起他們注意，也讓他們對你所賣的東西感興趣。而且，你已經激發他們渴望擁有你的產品。整個架構幾乎快要完成（可以開始動筆了——別緊張，下一章會提供許多關於銷售過程的實用建議）。不過，他們還是不買。支票本依舊躺在抽屜、信用卡安放在皮夾、自動轉帳授權書尚未簽名。問題到底出在哪裡呢？

　　你還沒有說服他們。

　　克服讀者抗拒購買的心態，是我們必須面對的最艱難挑戰。不是他們不想購買，而是有某些因素從中作梗。有時候問題出

在自然的謹慎、有時候是心中擺脫不了的懷疑。無論是哪一種，我們都還有任務尚未完成。我們必須說服他們，購買的風險遠小於不購買的風險（換句話說，他們有可能會錯失良機）。

要想說服他們，你必須破除這種猶豫不決的心態，讓他們安心購買。

不妨試試以下幾種方式。

推薦

如果他們不相信你，他們可能會相信你的顧客。因此，顧客推薦是很大的誘因。這種方式處處可見：產品目錄、郵寄廣告、電子郵件、網頁、平面廣告。

讓我們做個簡單的練習。

練習4：
現身說法的問題

以下為四種不同的銷售文案表達方式。請依照它們的可信度加以排列。

A

這絕對是殺除家中蚊蟲最棒的方式。

B

「是殺除家中蚊蟲最棒的方式。」來自巴黎滿意的家庭主婦們說道。

C

「這絕對是殺除家中蚊蟲最棒的方式。」

D

「我以前常花好幾個小時，在我的公寓裡打蚊子。但現在我再也不需要這麼做了。感謝你，蟲必死殺蟲劑。」

——瑪莉・法蘭斯・杜邦太太，37歲，巴黎人

你把哪一種說法放在第一位呢？我打賭是D吧！這也是你一定要找人來現身說法的原因。如果推薦見證不是由使用者說出，或者使用者資訊不全，便很難打入我們那些持懷疑心態的讀者心中。（不過，你有沒有注意到，見證者如果能多說一點，效果似乎比較好？）

搶先招供

當我建議廣告客戶，我們可以在商品宣傳中使用推薦見證時，有些客戶早已準備好一大疊由滿意顧客所寄來的信件和電郵。有些客戶則尚未開始蒐集這些信件。也有些客戶仍舊有點擔心。「可是，他們一定知道我們的用意，不是嗎？」這是最常見的考量。當然，他們會知道。因為，你要搶先告訴他們。

以下是搜集與使用證詞的五大步驟。

第一步：挑選你的見證人

最好找喜歡你的人：你的朋友和愛慕者。畢竟，如果你想

讓他們誇獎你和你的產品，則他們最好站在你這一邊。和銷售人員聊一聊，找出你的最佳顧客。或者，你也可以查詢你的顧客資料庫。過去五年多來，哪些人會定期購買？誰才剛向你們再度購買？上一季消費額最高的是哪一位？我相信你已經知道我的意思了。這些都是合適的產品見證人。

第二步：決定見證人的說詞

顯然的，你希望強調某些訊息。既然你的顧客都很忙，何不先幫他們起草證詞，為他們省時、省力呢？或者，你可以找像我這樣的人來幫忙，為你自己省時間。

不過，要記得，你的證詞語調要有特色，甚至要稍微和其他文案內容不協調。這樣聽起來才像是真正出自別人口中的話。

第三步：獲得見證人同意

致電給你的見證人，確實向對方說明你的意圖。請他們幫忙（人們都喜歡幫助朋友）。然後，選出三份推薦詞、傳真給你的見證人。給他們選擇的機會，才會讓他們覺得自己握有掌控權，而不是被人趕鴨子上架。同時，建議他們，如果覺得不妥，可自行改寫推薦詞。

請他們選出一份喜歡的推薦詞、簽名後傳真給你。好了！推薦詞解決了。

第四步：保持自然

　　如果你有時間，想要蒐集到語氣最自然的推薦詞，則最好打電話給見證人。讓他們開口。當他們說了你期待的話時，告訴他們你想要引用。然後，把推薦詞整理好、寄電子郵件或傳真給他們，取得他們的同意。

　　如果見證人自己提供推薦詞──或者改寫你所建議的內容──則你要壓抑修改的衝動。他們「不專業」的風格，再加上奇怪的標點錯誤，正好提供了你想要的重要特質：逼真──真實的原貌。

第五步：善加利用使用者推薦

　　你花了那麼多時間取得這些推薦詞，當然要善加利用。在銷售信函中向大家介紹這些既有顧客的觀點──「不光是只有我個人對這項產品一頭熱。」

　　你可以把所有見證人的推薦詞都放在一起。或者，如果文案內容較長，則可以分別安插在不同的地方。請版面設計師特別凸顯這些推薦詞。至於詳細的處理方式，則得視目標讀者與文案整體的語氣而定。有幾個建議：使用不同字體或粗體字；使用超大引號；把這些證詞從內文中拉出來，放在頁邊空白處。只要是能吸引視線的方法，一定要盡量去嘗試。這種版面設計對讀者釋放出的訊息是：「嘿，這很重要。可是，你儘管先讀這些證詞，文案內容的流暢性不會因此被打斷。」

其他說服讀者的方式

回想你上次購買的昂貴物品。是什麼因素讓你下定決心購買?是什麼讓你安心採取行動——風險不會過高?以下因素中,銷售員或廣告文案至少應該提及一項或多項:

- 免費樣品
- 統計數字,例如可靠性或性能
- 免費試用
- 新聞報導(當然是要正面的)
- 第三者背書
- 不滿意保證退錢

你不需要在以上各項中做出抉擇,如果可以,全都用上。如果你只有一位見證人、一份推薦詞,不妨用在你的文案中。如果你有50位見證人、50份推薦詞,則把他們全部都放在文案中。安全要素越多越好,能夠讓讀者心中的安全感攀升到極致。

A代表行動

還記得我提過一個還不差的標題嗎?

馬上購買瓦金斯驚奇產品

這就是行動號召。如果讀者本來就是這類產品的愛用者,

那麼，這句標題本身就能發揮效用。這正是文案結尾所需要的效果。

你可以在整篇文案中安插許多行動號召。畢竟，給讀者許多機會停止閱讀、動手購買，這是很棒的構想。以往，銷售員會從潛在客戶身上觀察，一旦發現購買訊號，他們便馬上停止推銷、開始結案。對於銷售寫手來說，如今這種訊號應該就等於電子郵件上的超連結。你讓讀者覺得自己已經了解夠多、可以點頭時，就能馬上購買。

號召讀者採取行動時，以下幾件事要格外小心：

語意含糊不清：不讓讀者混淆，絕對有好處。如果你賣的是A產品，而他們以為你賣的是B產品，或是支援套件、或訓練之用，則是件很糟糕的事情。

囉哩囉唆：這不是撰寫冗長論文的時候。產品推銷已經完成，現在，趕快說重點。

意圖不明確：不要讓讀者懷疑，你到底想要他們做什麼。

從正面觀點來看，你的行動號召應該要涵蓋以下幾點：

簡短、簡單、直接且清楚

- 提供讀者各種不同的聯絡及購買方式：電話、傳真、網站、郵寄。
- 提供清楚易填的訂購單。

- 使用果斷的命令口氣。馬上訂購；一月十五日以前訂購。
  這不代表他們一定得聽你的，可是，你總是需要設法敦促
  他們採取行動。此處不適合以下這種軟弱無力的語氣：

  「如果你想要購買……」

寫手寶箱：從最後開始寫

　　從行動召喚部分開始寫，可以讓你馬上掌握推銷的語氣和
文體。如此做法好處多多，不但能跨越寫手障礙（不過，寫作
規劃完成後，應該就沒有任何障礙了），還能讓你專注目標。

重點摘要

☑ 沒有寫作計畫，則什麼文章都寫不好，更遑論要寫出有說服
　力的文案。

☑ 把廣告目的寫在計畫的最上方——你想要達成什麼目標？

☑ 記得KFC口訣——你希望讀者知道（know）、感受（feel）
　和承諾（commit）什麼？

☑ 找出人們之所以想要購買你的產品的真正原因——原因不見
　得顯而易見。

☑ 謹遵AIDCA，能為你節省寶貴時間，直接掌握正確架構。

第三部分

哪些有效？
哪些無效？

「文字就像日照一樣，光越強、曬傷越嚴重。」

——羅伯特·沙賽（Robert Southey），英國詩人，1774-1843

第 **11** 章
哪些有效？

　　你已經把你的讀者視為單一個體，也努力思考過他們內心深處的購買動機。你花了時間進行規劃，也知道你的產品能創造哪些利益。同時你也想出了一個完美架構，來獲得注意力、引起興趣、產生渴望、說服讀者，並召喚他們行動。現在，來到了牽涉技術性的部分，那就是動筆寫作。

　　我們會在這個部分詳細探討寫作這一環。包括如何寫出猶如當頭棒喝的有力句子、如何選出和讀者心靈相契合的字詞，以及如何使用能夠拉近和讀者關係的語氣。

　　不過，首先，讓我們先檢視幾個銷售寫作的基本原則。

原則**1**：以讀者為重心

　　你所寫的每字每句都必須對讀者有意義。想想魚上鉤後收

線的情況。拉緊魚線,才能將魚安全套入網中。魚線一鬆——文章不嚴謹或內容太無聊——魚便馬上跳回水裡,重拾游水之樂。

　　無論是網頁或銷售信函,你的開場句是吸引讀者繼續閱讀下去的重大機會。直接切入正題,馬上開始談論讀者本身和他們的考量、需要和渴望,這也許還無法讓他們全神貫注,但卻足以讓你開始向他們推銷。

　　從此刻開始,你必須隨時把你的讀者放在正前方。想像他們就坐在你對面。和他們交談。揣測他們對每一個新句子的反應。你剛剛是不是說了什麼有趣的事情?或者,他們是不是看著窗外、或盯著報紙看?接下來讓我來說明,我為什麼如此重視這個時刻。

　　　在我銷售生涯早期,有一次我飛去法蘭克福與日本一家大型電器公司會面。我很緊張,因此,事先再三演練好冗長的口頭報告。當時簡報軟體尚未問世,所以,我自己影印簡報內容並加以裝訂,然後交給兩位經理。

　　　然後,我走到台前。德籍產品經理可能感受到我的緊張心態,因此,儘管我結結巴巴地逐頁唸稿,他還是耐著性子聽下去。內容全是關於產品,更糟糕的是,我還介紹了我們公司的歷史和發展情況。可是,日籍老闆就沒那麼有耐心了,他站起身,走向窗邊,往下看著博覽會場——位於法蘭克福市中心的大型展覽館——然後開始打電話。

大約四十五分鐘之後（現在回想起來還是緊張得冒汗），他放下電話，回來就座。他兩眼盯著我、大聲地說：「冷氣。」

「您指的是什麼？」我問道。

「我們想知道歐洲境內的冷氣機市場狀況。這是個很大的市場。」

然後，他給我一份表單，上面列出他所有的需求，其中也包括幾家有意合夥支付這個大型顧問專案的公司名單。

早知如此，我一開始就應該走過去、與他們握手，然後問道：「那麼，你們現在最優先考量的事項是什麼？」然後，他們就非得告訴我不可。如此一來，整場會面，我們就可以好好談談他們，以及他們的需求，而不是我一人唱著獨角戲，無趣地介紹我個人和我的公司。

我們拿到這筆案子嗎？嗯，是的。可是，這和我的簡報表現可能沒什麼關係。

原則 **2**：簡潔

我們常常都會有這樣的傾向：該停筆時仍振筆疾書。也許我們覺得文思泉湧，不想中斷創意。也許，我們就是停不了。

人們普遍相信一個謬論，以為冗長才能凸顯重要性。例如，大案子就得有厚重的企劃書。不過，這類企劃書的作者往往是被迫填充內容。我最喜歡的企劃案部分（而且我坦承自己也會使用），標題為「背景介紹」。這是衰到家的作者告訴客戶，他們的業務是什麼。你一定看過這類內容：

　　「位於伍弗漢普頓的瓦金斯驚奇公司是英國西密
德蘭、黑鄉和伯明罕大都會區現成與訂製機械製造商
龍頭。」

　　這段內容總是從客戶自己的網頁上被節錄下來，不禁令人
納悶，怎還會有人如此費心做這種事。

　　戰爭是相當重要的話題，那是不是就意味著軍隊統帥需要
發表長篇大論呢？不見得如此。邱吉爾首相在西元一九四二年
八月十日，寫給中東統帥亞歷山大將軍的英文電報，就只有兩
句話：

　　「你們的首要任務就是盡早殲滅隆美爾率領的德
義聯軍，並摧毀他們在埃及和利比亞所有補給與勢
力。」

　　這段內容可沒有什麼模糊之處。

　　俄國劇作家契訶夫（Anton Chekhov）說過：「簡潔和才能
猶如手足。」如果你有才能成為一位優秀作者，則你一定具有
大砍文案內容的鐵腕。不過……。

原則3：長篇文案

　　我投身直效行銷長達二十年，在這個領域中，長篇文案總
是勝於短篇文案。這是相當大膽的陳述，需要進一步加以說

明。對許多人來說，事實上是大部分的人，這似乎完全是瞎
掰。畢竟，簡潔為上，不是嗎？沒有人會坐下來細讀長篇幅的
新聞稿、或多達八頁的銷售信函，不是嗎？不是嗎？

　　嗯，結果是，他們會的。而且，長篇文案的業績要高於短
篇文案。長篇文案所引起的顧客詢問也多於短篇文案。

　　平面廣告中，最知名的範例也許是美林證券（Merrill
Lynch）的廣告。撰稿人是該公司合夥人路易斯‧恩格爾
（Louis Engel）。恩格爾原本擔任《商業周刊》（*Business Week*）
執行編輯，後來被美林證券的創始人查爾斯‧美林（Charles
Merrill）挖角。

　　這篇廣告佔了《紐約時報》（*New York Times*）全版。七個
欄位。小型字體。**完全沒有圖片**。總共有6,540個字。

　　結果共有上萬人前去索取這篇廣告最末提及的小冊子（順
便一提，整篇廣告並未提供任何折價券，也沒有其他明顯的
「讀者回函設計」）。

　　重要的不是你的文案有多長，而是讀者是否覺得它很有
趣。

　　我曾遇到一些企業客戶嚴格測試文案內容：兩頁的信函
好，還是四頁的好；100字的電子郵件好，還是2,500字的好。
幾乎每一次都顯示長篇文案的效果較佳。這個結果適用於你
嗎？我不知道——你得自己進行測試才行。

　　如果你遵守我提出的事前規劃建議，你應該有不少讀者覺
得有趣的事情可以掃及。換個方式來說，如果你有機會去讀者

家裡或辦公室拜訪他，你會希望他們給你五分鐘，還是一個鐘頭來推銷呢？自己想想看吧！

原則4：說故事

人類天生喜歡聽故事。早在文字發明以前，就已經有故事。這不表示你的文案要以「很久很久以前……」開場（不過，我以前倒是曾用這個開場白為一家大型國際出版商寫過提案），我是指，如果你能設法把故事編織到文案內容中，則你的讀者絕對無法抗拒。

在銷售信函中，你可以使用如下的開場白：

親愛的史密斯先生：

喬治‧布朗和你一樣，也對投資股市非常有興趣。喬治使用一套非常簡單的投資技巧，在一年內賺足利潤，讓他在35歲就能夠退休，而且還買了一艘遊艇，實現了他童年的夢想。

在網頁上，你可以用這樣的方式來介紹你的服務：

我如何協助你？我可以給你一份關於高階教練（executive coaching）的歷史與發展論文，不過，讓我先告訴你一個故事。

大衛是資深資訊科技部主任。他非常稱職。公司

執行長看出他具備下一代領導接班人的潛力，於是升任他進入董事會。等到獲得這項殊榮的狂喜和自然的驕傲反應消退之後，大衛心中有不少煩人的疑問。他告訴我：

「突然之間，我肩上挑起了許多和資訊科技一點關係也沒有的新責任。我該如何向董事會成員提出可靠、有份量的意見呢？我想要達成什麼？我該如何在不放棄我的核心價值和信念的情況下，適度為自己充電呢？」

當然，任何案例研究都是一段故事。在以上二例中，我們有主角、處境，甚至對話。不過，要注意到他們和讀者仍舊息息相關。我們沒有忘記第一點。

原則5：提問題

和人們面對面交談時，很容易維持他們的注意力。你可以使用視線接觸、肢體語言、抑揚頓挫的語調。最重要的是，有一來一往的對話。也就是說，互相問答。寫作時，便無法使用這些技巧。不過，你還是可以設法模擬會話。

首先，問問題。如果你未曾嘗試過這種寫作風格，也許乍聽之下會覺得有點勉強、甚至做作。不過，我可以向你保證：它絕對有效。向別人問問題，我保證他們一定會思考答案。就

算你的問題是出現在內容誇大的企業新聞稿（不一定是你寫的），或者是一封長篇幅的銷售信函中，也有一樣的效果。這是人性使然。你甚至還可以先吊讀者的胃口，向他們預告你將要問他們一個問題。

在我舉例說明之前，先讓我們回想一下我們能夠提問的問題種類。

封閉性問題

這類問題的答案為「是／不是」。

> 你想要購買 X 產品嗎？你是否曾經希望你擁有 Y 產品？你會不會來參加 Z 產品說明會？

在推銷產品時，很適合使用封閉性問題，因為它能夠迫使人們確定心意，而決定購買。

答案有限的問題

這類問題的答案，選擇性不多。

> 你想要藍色還是綠色？你想要星期二、還是星期三來參加我們的說明會？你喜歡紅酒還是啤酒？

你可以用這些不怎麼需要思考的問題，來吸引人們的注意力。

開放性問題

這類問題沒有固定答案。

> 你最喜歡哪一部電影？你有多少次在看電視時，
> 心想「我也做得到」？你最想跟誰約會？

你把會話掌控權交還給讀者，由於他們可以慢慢思考答案，人們因而大多喜歡被問到這類問題。

使用開放性問題是拉近與讀者關係的好方法。例如，問他們意見，正顯示了某種程度的尊敬，而且能轉移他們的注意力，而忽略你的真正用意。

例如，你可以在新聞稿開頭這麼寫：

> 在約會遊戲中，是什麼讓某些人成為「熱門對象」
> 呢？

我認為，就連最頑固的記者很有可能也會繼續往下多讀一句。（要記得，身為作者的你，這就是你必須讓別人做到的事情。）

如果你確定不會得到「不」這個答案，則可以使用封閉式問題。請小心慎選你的問題，至少在他們開始思考你要他們做什麼事情之前，先得到兩、三個「是」的答案。

> 親愛的弗瑞德：
> 你想不想把每月房貸大砍一半，而仍保有目前的

房子呢？你想不想在存款不減少的情況下，每年出國
渡假兩次呢？你想不想在不支付不必要貸款的情況
下，每兩年換一部新車呢？這不再是白日夢了。讓我
向你說明……

原則**6**：拉近關係

第五點的主旨在於和讀者建立關係。引用我的翻譯軟體對
於「關係」這個詞的解釋，那就是：「人們根據共同喜好、信
任、了解與分享對方考量的這份感覺，而建立起的情感聯繫或
友善交往」。

找出你和讀者之間的橋樑，建立起情感聯繫，讓他們感受
到你了解他們的考量，如此一來，他們向你購買的機會便高出
許多。可是，該怎麼做呢？好的，除了問問題以外，你還可以
使用以下幾種方式。

善用你的研究結果。如果你知道你的讀者擔心子女安全，
你可以這麼寫：

「現今為人父母者有許多需要擔心的地方——有
那麼多風險需要憂心，外界給小孩的誘惑太多了。」

這麼寫的用意在於得到讀者的點頭認同、微笑致意。至於
你自己有沒有小孩，則不是重點。要記得，你是一位作者。試
著進入讀者腦中、體會他們的感受。

　　或者，奉承一下。告訴他們，他們是多麼的聰明／重要／富有／美麗，讓他們聽你說一整天都不會厭倦。如下：

　　「像您這樣超凡的主管，一定比別人更了解清楚溝通的價值。」

寫手寶箱：建立關係捷徑

　　若你想讓讀者覺得自己很聰明，只要使用三個字：「你知道……」來描述他們的工作、產業或一般狀況。像這樣：

　　「親愛的葛林女士，您知道的，美麗的花園不能只靠陽光和雨水。」

　　使用適當語言。與《泰晤士報文學副刊》（*Times Literary Supplement*）（我為它寫過多篇信函和廣告）及《哈佛法律期刊》（*Harvard Law Review*）相較，如果你宣傳的是《美型》（*Maxim*）或《男人幫》（*FHM*）這類男性雜誌，則你就有權使用較為通用、甚至粗俗的語言。

　　從心理學的角度來看，有一件很有趣的事：語言和讀者的教育或社會地位無關，而視他們與你所推銷的品牌或產品的關係而定。一位35歲的男性可能同時訂閱《男人幫》和《哈佛法律期刊》，可是，如果你在宣傳後者時，這麼寫：「專門為律師小子和法官馬子出版，最屌的雜誌。」你就有大麻煩了。

原則**7**：新鮮點子

　　與其說文案創作是門藝術，不如說它是項手藝。但你還是需要點子。你還是需要有創意。（不過，請看第7章對於創意的提醒。）若想在塞滿讀者腦中的各種行銷訊息裡一枝獨秀，你需要為他們提供一些新鮮、有刺激性的東西。

　　你需要運用難以捉摸的字眼、詞句或概念，讓它們如芒刺一般刺中讀者的心。而且，更重要的是，讓他們伸手拿起電話、或信用卡。

　　不過，創意是善於躲藏的怪獸，你越努力想要找到它，它就越往你的潛意識深處逃。你需要放鬆，讓創意自己出現在你需要它的地方。以下是我用來刺激點子的20種方式。有些也許不好用、有些也許不適用。但我希望還是有一些能夠幫助你探究與發展出屬於自己的創意方式。

寫手寶箱：刺激你的點子

1　到河邊散步。
2　做點劇烈的運動。
3　寫下腦中所有想法。
4　不要枯坐在電腦螢幕前，拿出筆和白紙。
5　把你所描述的產品拿出來使用。
6　為那個應該會購買你產品的人畫張畫像。
7　五分鐘呼吸法。
8　翻閱藝術書籍。

9　讀詩。

10　翻閱名言選集。

11　閱讀別人的文案。

12　描寫兩人場景，其中一人已經購買你的產品。

13　凝視窗外、心境放空。

14　問問朋友，要怎麼樣才能讓他們購買你的產品。

15　想像你自己正在決定是否購買，找出讓你搖擺不定的原因。

16　翻閱你的點子筆記本──它記錄了你平常不寫文案時所想到的妙言妙語。

17　閱讀偉大廣告創意人的書。

18　把電話鈴聲關掉。

19　離開辦公室，到其他地方工作。

20　做個很好吃的東西。

第 12 章

哪些無效？

1、誇張賣弄的文筆

還記得我們在第二部分談到寫作計畫的問題嗎？當時我提出了一個簡單的炸雞口訣——KFC：我們希望我們的讀者知道（know）、感受（feel）和承諾（commit）什麼。

我們唯一避免讓讀者知道的事情，就是我們是文筆多麼好的寫手（不過，矛盾的是，你必須先成為優秀的寫手，才能避免這個陷阱）。在文學界和新聞界，賣弄一下文筆也許無傷大雅（但我個人不這麼認為），可是，在銷售寫作上就萬萬不可了。把你的文章想像成一扇窗子，讀者可以從中看到玻璃外面的景觀。我們希望他們看到的是這個景觀，而不是窗戶本身。

不過，可悲的是，許多蹩腳寫手（甚至更多優秀寫手）非常喜歡聽到自己的聲音，而情不自禁地用他們才能的果實對不

幸的讀者進行疲勞轟炸。基於某種原因，這種情況經常發生於平面廣告中，其中，又以和野生動物相關的主題為最。你一定看過這類廣告：

「印度豹是全世界跑得最快的陸上動物，時速高達70英里。牠以每秒5.8公升的速度將氧氣轉換成純速度，將大草原化為競賽場，只有運氣夠好的動物才有可能脫逃。

印度豹身穿大自然為牠量身訂做的自然保護色，因而能夠攻其於不意，誘惑那些粗心的獵物，可說是自然界的超級敵人。

高點牌家庭辦公室碎紙機也是一樣。一次可處理十張A4紙張，是市面上速度最快的文件安全解決方案……」

拜託！你看過多少類似的廣告？有誰認為這是消耗昂貴廣告版面的好方法？是誰簽名核准的？

2、行話

想像以下場景。在高點牌碎紙機公司的銷售季會上，銷售系統部資深副總裁茱莉・瓊斯（Julie Jones）起身發言：

「眼前最重要的，是我們的營收增加有限，對於公司成長有負面影響。除非我們的員工獎勵與動機方案投資利潤能夠超越以佣金為基礎的升職方案所需停損範圍，否則我們也許得依客戶觀點重新建立品牌價值。」

真的有人說這麼繞口的話嗎？也許沒有──可是，確實有許多人寫出這樣的內容。如果你在大企業上班（就連小企業也難以倖免），就會經常看到這樣的文件。問題最嚴重者包括管理顧問公司、會計事務所和政府部門。

作者想要傳達意義嗎？或者，他們比較在意傳達自己的地位？我們卻不一樣，我們的工作很清楚。我們想要將我們腦中的訊息盡可能清楚地傳達到讀者腦中。行話是行不通的。

我們應該在行話和重要技術性字彙之間劃清界線。如果你從事套利，則「衍生性商品」這個字絕無替代；但如果你習慣將鏟子稱為鑿土器，那麼，你就得下點功夫了。

3、囉哩囉嗦

囉嗦是經常困擾寫手的毛病。相信我，它絲毫不能提高業績。沒錯，長篇幅文案通常會勝於短篇幅文案，但要記得，這裡指的是有趣的長篇幅文案，而不是無聊的長篇幅文案。

去問問那些文案撰稿人，（幾杯黃湯下肚後）有人會承認

自己患有這個迷人的職業病。他們喜歡揮舞著鵝毛筆也好、游標也好，或者說是舞文弄墨的武器，用自己在病中痛苦掙扎、復發、最後治癒的故事來娛樂聽眾。

　　不過，有幾個人絕不承認自己囉嗦。（這是寫手最常見的健康問題，那些在傳播公司的人病情尤其嚴重。）

　　我為英國某政府部門執筆約有一年，針對消費情形編輯內部報告。文章由管理顧問公司撰寫，這讓問題更為複雜。以下列舉一個稱得上囉嗦的例子：

　　「訪談多位應答者的必要性對於工作完成的時間有不可避免的負面衝擊。」

　　你看得懂作者的意思嗎？我想我看得出來，於是打電話給他進行核對。沒錯，譯文如下：

　　「由於我們得訪談許多人，因此本案花了較長的時間。」

　　其他囉嗦的例子包括：

原文	翻譯
自我選擇	選擇
在某年和某年中間這一段時間	在⋯⋯之間
我們的公司座落於曼徹斯特市	我們在曼特斯特市
大約是兩到三年	兩到三年
在目前這段時間，我們提供	我們提供

文案寫手案例說明：囉嗦

對於葛瑞格來說，囉嗦從來就不是個問題，不過，這是因為他沒有辦法察覺出自己有喜歡空談的毛病。葛瑞格常常會琢磨出這樣的句子：

「我們的用意是每季都要努力了解如何善加使用與顧客面對面的首要和次要的方法與模型。」

我不知道他到底想要表達什麼。那些他奉為衣食父母的讀者們也不知道。

囉嗦的病徵顯而易見：冗長的句子、大塊的段落，以及厚重的文件。

開刀是唯一的治療方式。我切除多餘的形容詞、重複字詞、陳腔濫調、贅詞、抽象主詞和無聊話。經過幾次改寫之後，葛瑞格的文案終於被救活了。

4、談論自己

就在我動筆撰寫本章之前，我接到一份郵寄廣告，推銷新機種反雷達測速器。

第一句：「我們針對既有反雷達測速器發展出新機種。」
那又怎樣？

第二句：「我很高興為您詳細介紹一番。」
那又怎樣？

第三句：「市面上的選擇眾多，我相信我們的產品最合您意。」

那又怎樣？

這類小裝置（我要趕緊補充，我是指那些合法的裝置）能夠預防你被記點、被罰款、保險費提高，甚至被禁止上路。理論上，該公司的廣告應該能夠寫得更有力、更精采。

相反地，這位作者卻落入典型的陷阱，一味告訴我他自己的感受。許多資深主管在撰寫銷售文件、介紹公司時，都會這麼做。KFC到哪去了？WIFM電台呢？

還有一個例子。有一家我合作多年的公司寄了一份尋求會議贊助商的提案。這家公司在全球享譽盛名，並為潛在贊助廠商提供與國際資深主管會面的機會。

推銷贊助協議應該相當簡單。可是，這家公司卻錯失大好良機。幾年以前，他們要我看看幾份提案內容。你知道剛開始幾個字是什麼嗎？「在西元1937年……」

這份案子寫於2003年，讀者不大可能在1937年就已出生。然後，這份提案的開頭段落繼續以極長的篇幅一項項細數公司歷史與發展的每個階段。從哪裡開始呢？沒錯，你猜到了，從小型、簡陋的草創期，到目前在全球業界享有舉足輕重的龍頭地位。

在長達十六頁的文件中，一直到第七頁才稍微沾到一點利益的邊，似乎希望沒有人會注意到。

作者的意圖很明顯。還記得 AIDCA 中的 C 嗎？提供公司歷史與紀錄能夠增加銷售內容的重量，讓讀者更安心與我們合作。可是，它不該出現在開場白的地方。

我問贊助經理，為什麼要寫這樣的提案內容。她的答案呢？

「我們一向都這麼寫。」

我問她，她是否認為這種做法不錯。她的答案呢？

「我不知道。我從未認真想過。」

歷史數據也許能增加可信度，可是，一定要簡短。公司以外的人對於他們出生前四十年所發生的事沒什麼興趣。他們也不大可能想知道你的心態、對未來的期許，以及管理哲學。

5、範本文字

我們常常很匆忙，趕時間的時候，總喜歡找捷徑，像是一些能夠協助我們刪除待做事項的省時小祕訣。剪貼就是其中一種方式；還有一種，是使用那些我們稱為範本文字的字詞集。

有兩段文案絕對屬於範本文字，一段是廣告信函開場白，另一段是結尾。它們之所以被視為範本文字，是因為它們並非因特定書面通訊而獨創。相反地，它們根本可以獨立於信和內容，而自成完整的部分。

這段開場白是：「您是我們所重視的客戶……」你是否曾

接獲過以這類說法為開頭的信函或電子郵件？我有。而且很多次。可是，作者的真意究竟是什麼？

還有其他我們不重視的客戶。

我對於您的惠顧一點都不重視，因此懶得動腦筋創作，而抄襲陳腔濫調。

至於以上提到的結尾則是：「請不要猶豫，盡快和我連絡。」同樣地，言下之意是……

請不要和我連絡。

使用範本文字是另一種讓讀者知道你不尊敬他們的方式。使用各種省時捷徑的結果，所得到的是冷淡、沒有人情味的枯燥文件。剪貼也會得到類似的悲慘結果。現在，讓我再告訴你另一個寫作病例。

➕ 文案寫手案例說明：剪貼

她很聰明。她很有創意。她很懶惰。凱薩琳的廣告信一開始寫得還不錯，可是她手上的下一筆案子實在太有吸引力了。為了省時，她企圖「借用」其他文件內容，採用剪貼的方式。事實上，這是我治療過最病入膏肓的案例。

讓我舉個例子。以下段落節錄自凱薩琳為一份法律刊物所寫的廣告信。

親愛的某先生，

如果您也像成千上百萬倚賴詹狄士檔案的律師一樣，則您一定非常重視及時性、深度剖析，以及法律案例。這也是我今天寫信給您的原因。

（這是個好的開始，凱薩琳應該堅持下去。可是，請往下讀。）

　　近年來集體訴訟案例劇增。世人普遍對於集體訴訟有誤解，可是，不講道德的法律事務所卻對此趨之若鶩。集體訴訟有三大特色……

（此處看到了寫作病中說故事的病徵：語調突然改變、出現令人困惑的離題現象──談論讀者職業，而且，很明顯的，寫作風格完全不同。）

　　我的治療分為三部分。首先，教育。我向凱薩琳說明抄襲別人文件的危險性。然後，我們一起檢視她的時間管理，好好計畫她的每日時間分配，讓她能夠在放鬆的情況下，親自完成每一份文案。最後，我們拿新版文案和舊版病入膏肓的文案做比較，並評量結果。她再也沒有病發。

　　如果你趕時間，可以做一些不花時間的事情，像是泡杯茶、或打通電話。匆忙交差絕對不是個好點子。

6、過度興奮

　　做個小實驗。請閉上眼睛幾秒鐘，回想一件你曾看過、做過或經歷過非常刺激的事情。

　　好了嗎？現在，關於這一件剛剛想到的事情，它和你所推銷的產品或服務有關嗎？應該不會。這麼說來，不少文案寫手平常的生活一定很無趣，否則該如何解釋，他們為什麼那麼愛用「令人興奮」一詞來描述他們的產品呢？

用「令人興奮」一詞來形容你的產品,到底有什麼不對呢?嗯,如果你賣的是噴射機,或者提供那些收到廣告的人、在超級盃中場和鱷魚搏鬥的機會,這麼寫或許合情合理。可是,就讓我們開誠布公、毫不保留吧!我們所推銷的產品和服務可以使用很多字詞來形容,可是,「令人興奮」就是不妥當。

不要誤會我的意思。你的產品可能讓會計管理出現突破性大變革、徹底改變企業規劃銷售版圖的做法,或是減少資深經營者必冒的風險。這些都很棒。不過,你得把重點放在向讀者說明產品發揮效用的方式,而且要鉅細靡遺地說明。

在詞彙庫中挑出「令人興奮」這個勇敢的年輕字詞、拍拍它的肩膀,就把它送上戰場,這是懶惰的寫手才會做的事情。我相信你一定常看到這樣的廣告詞:「令人興奮」的退休金計畫、「令人興奮」的辦公室傢具概念、「令人興奮」的網路管理資訊。那麼,你有沒有聽過購買者轉頭對同事這麼說:「嗨!弗瑞德,快來看看這個令人興奮的印表機碳粉匣」?

使用「令人興奮」,以及它的家族:「很重要」、「很驚人」、「獨一無二」、「革命性的」和「了不起的」等字詞,顯示你表現感情、而非喚起認同。你無法盡力引出讀者必要的情緒,而只是把自己的感受注入字裡行間,希望它們自己能傳達到讀者心中。老實說,你曾經看過多少廣告信/廣告電子郵件開頭這麼寫:「親愛的X,讓我告訴你一個好消息,令人興奮的新發展⋯⋯」?

讓我問你一個問題。這些廣告信給你什麼感覺?我能猜出

以下幾種：無聊、受不了、被貶低、惱怒。原因也很明顯。這類廣告文案的言下之意，無非是：我幫公司／產品寫廣告文案真是件無聊的差事，我就只能寫出這樣的東西了。難怪這種廣告一點用也沒有。

若讀者想要使用這些字詞則無妨。事實上，這些字詞如果從他們口中說出，是很棒的事情。可是，你必須先讓他們知道，你的產品為什麼如此特別。這又把我們帶回關於利益的老生常談了。沒錯，事實再度證明，想要推銷產品，就必須向讀者說明有哪些利益。宣稱你的產品「令人興奮」，並不是在說明利益。

你該這麼做：每次你發現自己又使用「令人興奮」這類字詞時，停筆問問自己，為什麼認為你的產品／服務應該用誇大的形容詞來描述。然後，把這些原因寫下來。介紹產品的利益，總是要比使用形容詞來描述它們困難得多，可是，你得做到這一點。總之，要具體、明確。而且要記得，沒有人喜歡別人告訴他該如何感受某事。

7、幽默

為什麼許多銷售寫手認為成功推銷的不二法門，就是在文案中大量使用俏皮話、雙關語或「笑話」呢？

也許有幾種產品類別或媒體頻道適合發揮幽默風格。可是，大多數的同業辛苦撰寫文案來推銷B2B或專業服務，或者

那些比速食芋泥價值更高的消費性產品，幽默對我們來說，只會讓人分心。沒錯，你的讀者可能會發出會心的微笑、甚至大笑出聲，可是，他們並沒有拿出信用卡準備付錢。

那麼，《經濟學人》雜誌（*The Economist*）廣告何以如此倚重幽默風格呢？我能夠想到幾個原因。第一個浮現腦海的是，你並不需要長篇幅的文案，就能夠說服人們到書報攤買份雜誌。

「我從未讀過
經濟學人。」

——管理學員，42歲

這也許是《經濟學人》最著名的廣告，這張海報幽默至極、無法否認；但言下之意卻非常明顯。

第二個原因是，在機智風趣的背後，總是隱藏同一個鏗鏘有力的訊息，那就是：「成功人士都買《經濟學人》來看。」這樣聽起來，就比較像是利益了，對不對？無論如何，這些廣告只是一個廣大傳播策略中的一小部分，其他還包括郵寄廣告、報紙夾頁、電視廣告和網站促銷。

有許多企業內寫手（還有不少應該更具有專業知識的外部寫手）也許是受了《經濟學人》這種（明顯）不費力的廣告風格所影響，因此把全部時間都花在撰寫那些毫無希望的銷售信函及廣告文案，內容中充斥著差勁無趣的玩笑話，恐怕連小丑都看不下去。

廣告界偉人克勞德・霍普金斯（Claude Hopkins）在西元1907年擔任廣告文案寫手時，年薪就已經高達185,000美元，誠如他所說：「人們絕對不會向小丑買東西。」

8、主觀

只要是有經驗的商人，在面對新廣告時，都會有點眼花撩亂。如果你能在廣告、網頁或信函中提出有力證據，就更能令他們飄飄然。雖然他們會評估廣告中的投資計畫有多少賺大錢的可能性，或者新辦公室能容納多少員工人數、電腦、設備等等，但他們同時也像一個門外漢一般、評判著你的文案寫作。

你常聽到的反應並不是：「它真的有效嗎？」，而是「我不喜歡。」或者，公平一點，「我很喜歡。」若能聽到這句話，就足以讓作者心滿意足，不過，這還不夠，你需要高呼：「誰在乎你喜不喜歡它？」

舉個簡單的例子。不少公司測試過字體對於郵寄廣告的影響，想知道是否有些字體更具廣告效力。打字機字體（courier）總是比Times或Arial這類較「現代」的字體更受讀者歡迎。

是的，這一點也沒錯。使用打字機字體的信函，要比用 Arial 字體為公司帶來更多現金。可是，我們聽過行銷經理喧嚷著要求使用打字機字體嗎？企業廣宣部門（又稱品牌警察）是否發布勒令、嚴禁使用其他字體呢？

這也許不容易，不過，我們得設法讓那些負責批准廣告設計的人以廣告本身的效力為衡量標準，而不是他們個人的主觀偏見。

重點摘要

☑ 哪些有效

1　以讀者為重心
2　簡潔
3　篇幅長、內容有趣的文案
4　說故事
5　提問題
6　拉近關係
7　新鮮點子

☒ 哪些無效

1　誇張賣弄的文筆
2　行話
3　囉哩囉嗦
4　談論自己
5　範本文字
6　過度興奮
7　幽默
8　主觀

第四部分

好了，可以動筆了

「名不正，則言不順；言不順，則事不成。」

——孔子，西元前551−479年

第13章
祕密武器
（以及幾個魔術字眼）

我們曾在第1章提及一個簡單的規則：你的讀者對於他們自己，要比對你感興趣多了。想要讓他們閱讀下去，你就得把重心放在他們自身，以及他們的動機上面。和你所想的完全不一樣，是嗎？現在，讓我告訴你鼓勵讀者繼續閱讀下去的五大簡單技巧，即使他們原本無意閱讀，也一樣有效。哦，順便一提，五大技巧之後，我還會告訴你幾個魔術字眼。

技巧1：間斷的清單

每個人都喜歡閱讀清單。如果你承諾列舉三件事，那麼，人們很自然地會期望你宣布這三件事，這是天性使然。不過，為了讓他們繼續閱讀下去，你何不故意把清單分成兩個段落？如下：

　　成為《麥斯蘭談行銷》雜誌訂戶後，你將獲得三項福利。第一，利用文字推銷的訣竅。

　　第二，成為全球廣告文案行銷專業領域的一員。第三，全世界最佳點子摘要。

我敢說你絕不會不想知道故事結果而省略第二段不讀。

技巧**2**：段落最後預留伏筆

事實上，我們可以鼓勵讀者繼續閱讀下一段落，以此擴大技巧1的效果。以下簡單舉例說明：

　　第二，成為全球廣告文案行銷專業領域的一員。第三，全世界最佳點子摘要。可是，還不僅如此……

這類伏筆有很多，你可以說：

　　以下說明原因……
　　訂閱本雜誌之所以是明智的抉擇，還有一個原因……
　　那麼，為什麼要訂閱本雜誌呢？
　　如果你還舉棋不定，何不讓我再舉一個原因？

技巧3：句子不要在頁尾結束

這項偉大的技巧也是利用人類想要見到結果的天性。如果你的信函長度超過一頁，則一定要設法讓第一頁最後的句子跨越到下一頁。像這樣：

訂閱《麥斯蘭談行銷》，則你可能會比別人多出五倍的

你也可以加註「接下頁」，不過，我敢打賭你的讀者會情不自禁地想要讀下去。他們必須翻頁。（你一定要向好心的文案編輯解釋，你花了很長很長的時間才寫出最後這個句子，請他們千萬不要刻意「整理版面」，把剩下的部分挪到同一頁。）

技巧4：承諾稍後會提出利益

本技巧尤其適用於長篇幅文案，在內容中交織運用各種台詞，來吸引讀者注意。你可以利用「稍後」來達到這個效果。如下所示：

稍後，我將揭露廣告文案寫手在設計訂購單上會犯的五大重要錯誤。不過，首先……

同樣地，你正一步步吸引讀者進入你的描述。他們想要知道接下來的內容，而且會因此繼續讀下去。

技巧**5**：「接下頁」小兵立大功

讓人們繼續閱讀，有個簡單但非常有效的訣竅，那就是「接下頁」〔英文縮寫為PTO，指請翻頁（please turn over）〕。不管是雙頁信函、廣告冊子，還是產品型錄，把它放在下方，便有吸引目光，以及強力號召行動的效果。不過……

不要光說「接下頁」，甚或「請翻頁」。你大可發揮創意。以下幾種說法效果加倍：

> 您的特別優惠折扣，詳情刊於背面……
>
> 請翻頁參閱更多使用者推薦……
>
> 我們的顧客怎麼說呢？請見下頁……
>
> 您將如何受惠呢？請見下頁……
>
> 獲得免費贈書詳情請見……
>
> 聽聽工程界同業現身說法……
>
> 接下來，讓我告訴您史密斯太太的故事……
>
> 馬上購買的三大原因……

同樣地，盡量發揮你的想像力和創意。

如果你對於人們的閱讀方式稍有了解，你就能夠運用簡單的心理學、用計吸引讀者讀完你的文案。好好練習以上五大技巧，確定你能流暢地將其運用在你的文案中。現在，讓我告訴你有哪些魔術字眼。

開啟成功之鑰的六大魔術字眼

讓我們往下看看幾個能夠幫助你施展魔法的字詞。

魔術字眼1：簡單

一九八〇年代早期，我在德倫大學（University of Durham）攻讀心理學。（除了學會喝龍舌蘭酒最佳方式之外）我學到一件事。準備好了嗎？那就是：人類天性懶惰。

如果你承諾，他們安坐著喝啤酒、讀好書的時候，就有好事送上門來，則他們會心存感激的。因此，讓他們知道，向你購買一點都不麻煩。讓他們知道，你的產品或服務使用簡便。讓我舉幾個例子：

> 五種輕鬆訂購的方式……
>
> 寫好廣告文案的三大簡單步驟……
>
> 接下來的部分很簡單……

魔術字眼2：快速

嘿，你猜怎麼著？人類不但懶惰，而且也沒有耐心。誰會希望在決定購買後還要等待呢？沒有人。你一定聽過一句古老的行銷格言：「直接賣草坪、不要賣種子」。告訴他們，只要七到十天，就能擁有綠草如茵的庭院。或者：

太陽魚推進器安裝快速。

成效快到你無法相信自己的眼睛。

魔術字眼3：免費

這是個非常古老的字眼，可是仍具有強大作用。前提是要正確使用，如果錯用，將完全扼殺一切宣傳效果。有一些文案寫手仍不相信「免費」這個字眼的力量。因此，他們畫蛇添足地加了「絕對」一詞來修飾。有沒有搞錯啊？

想必這群人每天接觸到的全是絕對免費的贈品。最好向讀者告知你的贈品的價值，讓他們心中有個概念。現在，讓我提出一項警告。

如果你寫的是電子郵件廣告，要小心，一定要非常小心。免費贈送的訊息會快速觸發絕大多數的垃圾信件過濾軟體，這要比其他的轉寄信件更容易被過濾掉。

魔術字眼4：現在

這個字詞有許多用法。在標題中，它意指讀者看到的是新產品資訊。在行動召喚結尾，它傳達一種急迫感。在文案內文，它能夠輕鬆把問題轉換成解決方案。像這樣：

親愛的讀者，

在以前，你就算有心、有錢，也買不到太陽能鉛筆。現在你可以了。

魔術字眼5：請

有件令人驚奇的事情：有些最有力的魔術字眼，居然是我們小時候就學到的飯桌語言。「請」這個字就是最好的例子。你可以說：

> 請繼續閱讀更多資訊，了解這條輕鬆快速學好優質寫作的方法。
> 請點選此處進入訂閱詳情。
> 若想進一步了解，請來電與我聯絡。

有些平常極有禮貌的人在撰寫文案時，卻忘記運用「請」的魔力，令我相當不解。不過，他們說不定也不說「謝謝」。

魔術字眼6：保證

人們多半渴望獲得確定性。當他們決定購買後，最害怕的就是，產品沒有銷售員所聲稱的功效。該如何減輕他們的恐懼呢？何不提出保證？

如今，保證是個非常靠不住的東西。畢竟，你能夠保證你的產品能夠在全部的顧客手中、發揮百分之百的效用嗎？當然不行。

不過，你能做的是，如果無效、保證全額退款。這聽起來要比實際更為正面。你的言下之意是：「本產品可能無效，如果發生在您身上，我們會把錢退還給您。」而他們聽到的卻是：「我的產品絕對有效。」

第14章
廣告文案應如一碗米脆片

從商業文案到郵寄廣告，凡是優秀的作品一定都具備一種抽象的特質。在寫作研討會上，與會者常常表示，他們希望自己的文章能更「鏗鏘有聲」。雖然很難詳細說明，但我們都知道他們的意思。還有一個形容詞是「清脆」。我很喜歡用食物來做比喻，且讓我提出讓文章發出清脆、劈啪和爆破響聲的五大方法。

方法1：利用強力字眼刺激情緒

強力字眼直通讀者大腦。你不需要多加解釋。你不需要多加定義。不需要查字典或同義字，一看便能了解。有趣的是，許多人再怎麼絞盡腦汁也想不出什麼強力字眼。

以下列出我能想到的17個強力字眼：

愛（love）	砍（chop）
恨（hate）	嘶嘶聲（fizz）
性（sex）	撞毀（crash）
現金（cash）	最棒（best）
風險（risk）	最差（worst）
在乎（care）	贏（win）
孩童（child）	輸（lose）
給（give）	消耗（burn）
龐大（huge）	

注意到什麼了嗎？你發現有很長的字詞嗎？以上都是很簡短的字，聽起來很有震撼力。許多寫手常會忽略他們的文章聽起來有何效果，我想這是因為他們太專注於文章的意義。不過，最好的強力字眼有兩種功能——它們傳達一種概念，並在讀者腦中激發出行動力。換句話說，你把他們帶入敘述的更深處。

寫作時，我們常常太專注於傳遞訊息。初稿（要記得，從現在開始，你所寫的每份新文件，都只是初稿）洋洋灑灑傳達我們所要說的全部事情，可是缺乏火花。

改寫時，挑出所有鬆軟、不結實、陳腐的字詞，用更輕快的字眼來代替。以下是幾個人們常用的字眼，以及應該使用的強力字眼。

軟弱	強力
節省成本（cost-effective）	便宜（cheap）
有負面影響（impact negatively）	傷害（hurt）
最理想的（optimal）	最好（best）
風險調整（risk-adjusted）	安全（safe）
升等（upgrade）	增加（boost）
大有衝擊的（impactful）	顯著（striking）
方便合宜（convenient）	好用（easy-to-use）
可信賴（reliable）	可靠（rock-solid）
解決（solve）	破解（crack）

使用強力字眼，能讓你的文案在各企業行銷部門瘋狂亂投的垃圾郵件中脫穎而出。現在，你也許覺得以上幾個例子不大適合貴公司性質或你的讀者。沒有關係。寫信給顧客、廠商和合作夥伴時，什麼樣的語氣最適合，只有你自己最清楚。繼續尋找不過分做作的方式，來表達你的想法。

方法 2：使用個人化字眼以增加人性

我們在第13章探討過幾個能夠賦予文章新境界的魔術字眼。這裡還有一個：「你」。

「你」是個迷人的字眼。我們每天在會話中（廣告文案的最佳模擬情景）提及它，可是，許多寫手卻不喜歡在文章中

（或螢幕上）使用它。如果你具學術背景，也許老師教過，**不要**在報告或論文中直接稱呼你的讀者。

美國許多教育機構針對論文寫作發布指導方針，特別規定作者：「不得直呼讀者。對讀者直接說話時，絕不使用『你』和『你的』。」（先不談對讀者直接說話的意義為何。）嗯，在學術寫作上，也許真有這樣的限制，可是，我們身在銷售界，「你」絕對能發揮效用。

回到我在大學時對於心理學的研究。你知道我發現什麼嗎？人們多半認為誰最迷人？你當然知道了，我們已經在本書中討論過這一點。你可以大玩自戀心態，使用「你」而不是「我」。以下舉例說明：

與其說：

「馬上訂閱，我將免費送你一本《我的鍵盤歲月》」，

最好說：

「馬上訂閱，你將免費獲得……」

或者：

「訂閱《麥斯蘭談行銷》，你將發現自己的寫作技巧大增，能夠媚惑友人、讓敵人刮目相看，而且，無論去哪出差，絕對能獲得貴賓座。」

如果你一定得提到你自己：「我」──或者必須使用「我們」──那麼，你最好改用公司名，比較能夠維持個人化和參與感。這個道理也適用於廣告、信函、網頁和電子郵件嗎？當然可以。我們都喜歡被個別看待，無論何時都一樣，特別是我們在閱讀廣告文案的時候。

寫手寶箱：三／一比例

　　每使用三次「你」，才能使用一次「我」，這是規定（如果你喜歡規定）。

方法3：用動詞，而不用名詞

　　還記得你學生時代的老師嗎？他或她是怎麼介紹動詞的？動詞是「行動」字詞。廣告文案和小說一樣，行動都很重要。以動詞為主導的文章既積極又有生氣。動詞能推動故事的進行。（它們通常也是強力字詞。）

　　不過，有一些文案寫手，特別是那些管理顧問（他們為什麼那麼不擅寫作？），卻喜歡把動詞改成名詞。這種毛病有個名稱：「名詞狂」。以下列舉幾個例子：

名詞

　　我們的**專長**在於資訊科技**解決方案**的**提供**。〔18個字〕

動詞

我們**專門解決**資訊科技問題。〔12個字〕

名詞

我們把重心放在績效的**測量**、**管理**和**標準化**。〔18個字〕

動詞

我們**測量**、**管理**和**校準**績效。〔11個字〕

➕ 廣告文案案例說明：名詞狂

哦，是的，名詞狂。我永遠也忘不了第一次遇到名詞狂的情況。病患住在加州，是個年輕貌美的網站管理員，名字叫做法蘭西斯。我們一起衝浪、一起喝瑪格麗特，我們，嗯，不管怎樣，讓我談談她的症狀。

法蘭西斯是個能力很強的網頁寫手。在數位廣告領域重視誇張、常常宣稱「光用標題就能吸引人閱讀」的潮流中，法蘭西斯卻極力避免這種做法。

但是，她卻有個問題。她的動詞——以前非常活躍的——逐漸消失了。她的名詞在文章中不斷蔓延，使得文章愈來愈沒有活力；她酷愛使用以 -ment、-ance、-tion 和 -sion 結尾的英文字。

名詞狂的成因多半是因為渴望被視為重要或高地位。

對於像法蘭西斯這類患者，我建議手術開刀移除名詞，換上被封箱已久的動詞。

方法4：使用日常語言

當人們想要聽起來聰明或「成熟」時，通常會捨棄他們從小到大習慣使用的普通語言。在英文中，人們往往不信任盎格魯－薩克遜語（Anglo-Saxon）的效果，轉而使用源自拉丁語或希臘語的字詞。這真是一大恥辱，因為，這些源自於拉丁語或希臘語的字詞，除了讓人難以了解之外，長度也相對較長。這是件壞事。

我們撰寫廣告文案時，必須努力拉近和讀者的關係，而使用日常語言就是最好的開始。（不，我指的不是「下流語言」，而是那些人人都在使用、大家都了解的日常文字。）

人們常誤以為，當撰寫對象是業界人士時（尤其是資深主管），就必須使用誇張的語言。例如，他們不說加薪，偏要說獲得程度非常高的酬勞配套。

當然，還有表達方式的問題。也就是說，在面對不同的讀者群時，文章內容的形式和語氣都要跟著調整。不過，這些差異其實不像許多人想像中來得大，重要的還是媒介本身。銷售文案是（或者說應該是），結構鬆散的會話型態。唯有在簡短字詞無法發揮效用的情況下，才能改用長字詞。

我的撰寫對象常常是企業執行長，若要說他們與一般人有何不同，那就是他們更加忙碌、也更少留意銷售文案。因此，用那些本身都還需要翻譯的長字詞來浪費他們有限的注意力，絕對不是什麼好點子。

方法5：正面語言

潛在顧客閱讀你的文案時，會發現正面語言要比負面語言更容易理解。使用正面字詞也能讓全篇文案聽起來更為積極。如同你衷心希望事情會發生。

以下是幾個負面語言和正面語言的比較：

負面	正面
不要拖延	趕快
不滿意保證全額退款	保證滿意，否則全額退款
不要忘了	要記得
沒有其他時候比現在更適合	現在是最適合的時候

第15章
優質廣告文案

喬治·歐威爾（George Orwell）在他的文章〈政治和英語〉（Politics and the English Language）中為寫手們提供「六大基本法則」：

1　絕不使用隱喻、明喻、或其他比喻。
2　有短字可用時，絕不用長字。
3　能夠刪掉的字就把它刪掉。
4　能用主動語氣時，絕不用被動語氣。
5　有白話字詞可以表達時，絕不用外來片語、專業術語或行話。
6　違反以上法則的速度，絕對會快於你說完「粗鄙」二字。

歐威爾主要指的是正式學術、文學或政治文章，不過，他的法則也為銷售寫作奠定了穩固基礎。讓我們逐一探討。

絕不使用一般廣告常見的隱喻、明喻或其他比喻

換句話說，避免陳腔濫調。如果你常常在廣告中看到某一比喻，那麼，你的讀者也是一樣。這表示它已失去視覺效力，只淪為一段過時的語言。你也知道，我很喜歡尋找言下之意，而任何陳腔濫調的言下之意，就是：「我懶得思考原創的新點子，而選擇使用這個陳腐的片語，因為它不花腦筋。」

讓我先說明，隱喻和明喻是另有所指的字詞，它們通常具有非常強烈的視覺感受。隱喻是把原來的字全部取代，例如：「未達成業績目標，我們的銷售主任馬上變成一隻熊。」明喻則有比較的意味：「未達成業績目標，我們銷售主任的反應簡直就像一隻熊。」

在使用得當的情況下，暗喻和明喻都能在讀者心中創造出強烈鮮明的圖像和想法，讓你用原創、有趣的方式來強調某些重點。不過，「原創」這個字是關鍵所在。你得下苦功，才能想出扣人心弦的暗喻或顯目有趣的明喻。如果你只透過文字就想要吸引讀者、說服他們依你的想法行事，則你必須多下功夫。你一定要不惜代價地避免使用陳腐語言：也就是那些已經被人過度使用、沒有人會有印象的字詞和片語。

二手明喻

隨手取用早已濫用的明喻，不但對你的文案內容一點幫助也沒有，反而有點穿二手衣的味道。你也許想要向廠商表達你對他們的信任，可是你卻寫著，他們「就如長日一樣忠誠」，

這樣反而會帶來反效果，有害你們的關係。為什麼呢？因為這個被人濫用的明喻已經淪為陳腔濫調。而人們在閱讀陳腔濫調時，只會把它們視為毫無意義的片語、而非原意真相。

混合暗喻

> 業界吹起一陣冷風，如果我們不做好準備，將慘遭吞噬。
>
> 新投資絕對能帶給我們金母雞般的優勢。

以上都是暗喻的混合用法，作者一開始先用一個視覺概念，句尾再以另一個視覺概念做結束。風不會吞噬人（不過，海浪倒會），優勢也不會成為母雞，管他是不是金母雞，都一樣。這是常見錯誤，不過，你應該要避免。

避免陳腔濫調（像避免瘟疫一樣）

陳腔濫調腐蝕文章；它們屬於口語。儘管你的文案內容要像說話一樣自然，不過，這指的是語氣、而非文體。陳腔濫調可分為以下三種基本類型：

一般性、日常生活陳腔濫調

有來有往、相互利用（one hand washes the other）

埋頭苦幹（nose to the grindstone）

千方百計（leave no stone unturned）

各人喜好不同（different strokes for different folks）

毫無疑問地（without a shadow of a doubt）

商業陳腔濫調

安排妥當（get our ducks in a row）

創新思維（blue-sky thinking）

雙贏局面（win/win situation）

超越極限（pushing the envelope）

垂手可得（low-hanging fruit）

最佳實務（best practice）

展望未來（going forward）

約略（ballpark）

全球（global）

策略性（strategic）

請在以下空白處寫上你自己喜愛使用的陳腔濫調

....

....

....

....

....

....

....

有短字可用時，絕不用長字

在孩提時代，我們最早學會寫的是簡單的短字。隨著自信的增長與教育程度的提高，我們逐漸（絕不誇張）開始使用較長、較複雜的字詞。當我們開始故意選用較長的字、而捨棄手邊還不錯的短字，一切都開始不對勁了。

許多人都曾患有同義字癖，問題是，他們自己的免疫系統有多強呢？他們能夠阻止感染，回復到讀者能夠理解的簡單、清楚的寫作風格嗎？

我相信你曾看過幾個受以上癖好感染的病例。如下：

「我們的首要目標就是針對最佳實務進行檢討和宣傳。」
"Our primary objective is the collation and dissemination of best practice."

而作者真正的意思是：

「我們的主要目的是找出有效做法，然後全員共享。」
"Our main aim is to find out what works best then share it."

不要誤會我的意思；長字沒有什麼不好──沒有任何字本身不好。可是，可以用短字時、卻愛用長字，就是個壞習慣。作者在乎的是炫耀、或取悅自己，而不是確保讀者能了解他們所寫的內容。

能夠刪掉的字就把它刪掉

"Omit needless words"（省略贅詞）

《英文寫作風格的要素》（*The Elements of Style*）是談英文寫作最偉大的一本小書，它是由懷特（EB White）和他的老師斯特倫克（William Strunk, Jr）所合著。斯特倫克所說的這個經典名句，凡擔任編輯、作者都應謹記在心。該如何只留必要的字詞？請謹記以下四項法則。

法則1：可以用名詞或動詞時，
就不要使用形容詞或副詞

還記得在學校時，老師是怎麼介紹形容詞和副詞的嗎？那些可愛的字詞能為無趣的名詞和動詞增添更多資訊。頃刻間，我們不說「一隻貓坐在地毯上」，而變成「一隻毛茸茸的大肥貓慵懶地坐在柔滑的圓形地毯上」。

隨著我們長大、開始工作後，這種喜歡用形容詞來裝扮句子的熱情依舊不減。不過，我們常常忘了語言字彙之龐大豐富，有太多能夠用來形容的名詞和動詞未被充分使用。它們能讓我們的文章更加嚴謹。

在以上那個貓坐在地毯的句子中，共有五個形容詞，其中至少有一個是贅詞。看看你能不能找到。給你一個線索：你可以用另外一個字把它替換掉。沒錯，就是「慵懶地」。事實

上，我們可以用「懶散的」、「懶洋洋的」、「閒散的」、「閒蕩的」、「懶惰的」或「懶懶的」。

除非形容詞和副詞能提供額外資訊，否則它們只是懶惰的作者不想努力思考的藉口。以下舉例說明如何精簡字詞：

- 不說「大房子」，而說「豪宅」。
- 不說「有遠見的企業經營者」，而說「業界先驅」。
- 不說「受人敬重的公司」，而說「標準創立者」。

動詞也是一樣：

- 不用「努力工作」，而用「奮鬥」。
- 不用「創意地思考」，而用「創新」。
- 不用「表現令人刮目相看」，而用「卓越」。

法則2：避免無意義的形容詞

還有一種形容詞成為贅詞的方式，那就是純粹用來強調的時候。以下舉例說明：

- 嚴重的危機——我想，是想和輕鬆的危機做比較吧！
- 大聲的撞擊聲——想必還有小聲的撞擊聲吧！
- 可怕的戰爭——不大可能還有溫和的戰爭吧？
- 重要的發展——好像還有不重要的發展似的。

前三例中，光是名詞就足以表達作者的意思。危機、撞擊

聲和戰爭本來就分別是嚴重的、大聲的和可怕的。至於第四例，作者強調重要性、但卻不提出讓讀者信服的原因。這是我們在銷售寫作中最常見的情況。

對某項成就自豪不已的主管，很自然地希望別人也認同，他們以為使用「重要的」、「必要的」、「無價的」、「開創性的」、「獨特的」，以及「特別的」會有幫助。事實正好相反。憤世嫉俗的讀者（還有人看到超級非凡偉大的銷售寫作流派而不感到憤世嫉俗嗎？）很自然地會認為，自己看到的是大肆宣傳的無聊構想。而且，一百次中有九十九次，他們所想的都是對的。

法則是，使用形容詞來添加資訊，而非強調。因此，可以這麼寫：

- 環境保護的危機
- 遠處傳來的撞擊聲
- 內戰
- 技術性發展

法則 3：避免贅詞

在思考接下來要說什麼時，很多人需要使用停頓語。有許多隨手可用的停頓語能滿足我們的目的，可是，我們應該在寫作時避免使用，因為它們除了讓你有喘息的空間之外，一點用處也沒有，不宜出現在文章裡。

以下是幾個我最愛提出的例子：

贅詞	替代字詞
在此同時	現在
它的原因是	因為
由於⋯⋯的關係	因為
重要的是，絕對不要忘記⋯⋯	（直接說你要說的）
一對雙胞胎	雙胞胎
完全被包圍	被包圍
顏色是橘色的	橘色
四周全被包圍	被包圍
嚴密地仔細檢查	仔細檢查
非常鄰近	接近

法則4：小心抽象名詞

許多寫手也許想讓文案聽起來更具重要性，放棄使用更貼切的具體名詞，而掉入使用形容詞來描述抽象名詞的陷阱。以下舉例說明：

本網站歷經許多重要的更新階段。

本資訊具有機密的特性。

我們以一季為基準、更新報告。

若拿掉抽象名詞，則得到：

本網站經過重大更新。

本資訊很機密。

我們每季更新報告。

能用主動語氣時，絕不用被動語氣

你知道該如何修改你的文案，只要一個簡單技巧，就能讓文章更有力、更銳利、更打入人心、更引人入勝、長度更短嗎？而且完全不用犧牲你所想要表達的意思？哦，你知道嗎？那麼你就可以省略以下部分。你還在嗎？很好。我想要談談主動語氣。或者，應該這麼說，我想要讓你看看什麼是主動語氣。請看以下句子：

貓坐在地毯上。〔6個字。〕

這是主動語氣。主詞（貓）放在動詞（坐）之前。注意，貓對於地毯做出動作，換言之，有動作發生。

把相同的句子、相同的動作換成被動語氣，就變成：

地毯上坐了一隻貓。〔8個字。〕

現在，主詞變成在動詞之後，全句重點是地毯。地毯（動詞「坐」的受詞）只是被放置在那裡，任憑事情發生。也就是說，它處於被動狀態。

看看句子的長度，多兩個字也許不算什麼，可是，句子平

白多了百分之三十三的長度，卻未增加任何意義。想想看，如果你整篇文案都是被動語態——則文章總長度可能要比必要長度多了三分之一。

不過，避免使用被動語態還有另一個原因：它聽來冷淡，拉開了你和讀者的距離。我們向某一公司投訴，常常會收到這類回函：

親愛的史密斯先生：

　　很抱歉我們的服務被認為無法接受。調查已經展開，調查結果一旦被客戶服務部門傳來之後，就會受到評估。屆時，如何處理退費的決定就會被定案。

上例中全是被動語態。它聽起來是不是平淡又無感情？作者似乎一點都不在乎；你好像被耍了？你的投訴信也許讓他們非常沮喪，但由於他們太愛用被動語態，使得他們的關心之意完全未能表達出來。

以下寫法就好多了：

親愛的史密斯先生：

　　我很抱歉您覺得我們的服務無法接受。我已展開調查，一旦我們的客戶服務部門傳來結果，我們會立刻評估。屆時，我將決定如何處理您的退費申請。

如此一來，我們便能看出誰做了什麼事情，以及他們有何感受。光是第一句，他們先道歉、負起問題的責任，馬上就消

除一切火藥味。

　　在英文中，要找出被動語氣有幾種方法：

1　尋找「by」（由）這個字。你會發現很多完全沒問題的用法，但也會因此找到不少被動語態。

2　尋找用來連接主要動詞的「to be」（被）。例如，「was（to be 的過去式）received（接獲，主要動詞）」。

3　利用文字處理軟體的檢查文法功能。可讀性統計數字會提供被動語態所佔的百分比。

　　這個百分比越低越好——通常以零最理想。不過，不要完全受這項法則所限制，也不要拘泥於我在書中提出的任何數字目標。它們只是參考準則。最後你還是要自己判斷。如果你覺得某一句子用被動語態讀起來比較順暢，那麼，就不要改變。只要確定兩種方法你都比較過即可。

　　以下是嚴格遵守使用主動語氣而造成句意不明的例子：

被動

The car was chased by the dog belonging to Mr Smith.（這輛車被屬於史密斯先生的狗追趕著。）

主動

The dog belonging to Mr Smith chased the car.（屬於史密斯先生的狗追趕著車子。）

請看以上英文主動語氣句子的最後五個字。到底是誰在追車子？讀者得花一番功夫才能釐清不明的句意，而這太花他們的時間了。讓我改寫一下：

Mr Smith's dog chased the car.（史密斯的狗追趕著車子。）

完美至極。

有白話字詞可以表達時，絕不用外來片語、專業術語或行話

那些希望展現自己教育背景的人，總是喜歡使用外來片語，讓他們的想法聽起來比實際意義還要令人敬畏。拉丁文和德文也常常出現在「最自命不凡」的名單當中。不過，我們需要語意清楚，這表示得使用白話文。

使用白話文，除了能讓別人更容易了解之外，對於你的文章還有另一個好處。那就是，文章內容因此變得比較簡短。寫出一篇較簡短的文章、為讀者節省閱讀時間，這總是件好事。

違反以上法則的速度，絕對會快於你說完「粗鄙」二字

這其實是你的「保釋」卡。亦即，你應該把重心放在你的文字對讀者的影響，以及你的文章聽起來有何效果。銷售文案

充其量只能讓人勉強忍受、絕非受歡迎。因此，給讀者輕鬆、簡單的文章來讀，絕對好過強迫他們耕耘厚重的泥土，不管你的文章多麼「正確」都沒有用。

完美句子（以及如何撰寫）

堅固的房屋是一磚一瓦砌成，而強而有力的文章則是一字一句構成。學會什麼是好句子（以及什麼是壞句子），則你銷售寫手這個工作就會容易許多。

寫出好句子是門藝術，我希望你們能贏在起跑點上。我有何特效良方呢？讓我這麼說吧：文案創意人和法官有何共通之處？

他們都喜歡短句。

不管是信函、提案、報告或廣告冊子，大部分的商業文件都有相同的毛病：過長的句子。研究人員一致認為，妨礙理解的唯一最大障礙就是長句。你知道的，那些句子一開始很簡單，但後來居然自己活了起來，迂迴曲折地發展出各種話題，而且未能達成一個令人滿意的結論，逼得你不得不發揮超人記憶，讀著似無止盡的長篇大論，但對於作者的想法仍舊只有模糊的概念。（這個句子夠長了吧！）可是，我們所指的長句到底是什麼意思呢？

先從一個武斷的數字開始吧。你要把句子長度限制在16個字以內——平均而言。若努力讓全篇文章的所有句子都不超

過16個字，會發生兩件事：首先，你的頭腦會爆炸。然後，讀者的頭腦會爆炸。生命短暫，無法浪費時間來細數你每個句子的字數。還好，你不需要這麼做。

如果你也像多數人一樣，用微軟文書處理軟體來撰文，那麼，你就可以好好利用可讀性統計的功能。我會在第21章詳細說明使用方法。最重要的功能是每句字數（words per sentence, WPS）。

現在，打開這個功能，統計你的文章，如果你得到的是16.3或17.1，我就可以放心了。但如果你得到的數字是20幾、或30幾（真糟糕），則你得費一番心力。回頭閱讀你的文章，你也許會發現元凶（或好幾位元凶）。你不需要刪除多少字，就可以降低每句平均字數。修改一下，你就會發現你的WPS已經神奇地降為10幾。

我之所以強調平均數，還有一個原因（我是說，除了你的頭腦會爆炸以外）。假設你的WPS剛好是16，這表示你的文章中，有幾個8個字的句子，還有幾個24個字的句子。

短句適合讀者頭腦，讓他們不費吹灰之力，便能立刻解讀你的意思。很好。這表示當你偶爾要他們稍微花點腦筋時，他們還有多餘的精力和熱忱。

你大可低於這個目標數字，我一開始也提過，標準數字未免過於武斷。寫一篇WPS只有12或更少的文章，則或多或少保證讀者能更加了解你的意思。別忘了，這才是有效寫作的本質。

寫手寶箱：熱點（hot spot）

　　當你透過寫作來影響別人時，要特別注意句子的最後一個字。這是所謂的首點，是會讓記憶繼續逗留的字。因此，此處一定要使用最強而有力的字。例如，要避免以下第一句的用法，而第二句就好多了。

　　你的顧客會很高興看到你使用我們的產品。
　　使用我們的產品，你的顧客會很高興。

第16章
語調是什麼？該如何處理？

　　語調通常是不需要特別考慮的。你生氣時，就會用生氣的語調來說話。而你高興時，自然就會用高興的語調來說話。你鮮少會故意說出和心裡唱反調的話。你的情緒透過你的聲音、臉部表情和肢體語言自然表現出來。

　　可是，書面文字無法出聲。為什麼文案寫手還要特別探討語調的問題呢？嗯，其實你可以使用一、兩種技巧，模擬出不同的語調。寫出正確的語調是很重要的事情，因為，在無法面對面說話、也無法打電話的情況下，你只能靠文字來建立關係。

　　一般來說，你所寫的應該是你說話的內容，我在本書已多次提到這一點。讓我再次叮嚀：選用白話、簡單的語言。想像有人在酒吧裡問到你的產品或公司，你會怎麼說，就把它寫下來。（要記得，本章談的是語調、而非文體。你大可稍後再加

以編輯修改，讓文案稍為正式一點。）鎖定使用那些如果你大聲說出、聽起來沒有問題的自然會話體。

寫手寶箱：大聲唸出

　　評斷你的銷售文案語調是否適當，最簡單的方式就是大聲唸出。如果你在電話中、或直接當面將內容唸給讀者聽，你是否滿意呢？如果答案是肯定的，很好——你已經抓住了適合銷售的絕佳語調。若答案是否定的，壞消息。你的文章怎麼會讓你窘迫呢？你得要再修改一下。

　　想要修改語調，以及你字裡行間夾帶的情感內容，可使用語言學家所說的語言情緒（moods）。這些只是合成一個句子的方法。以下列出五種語言情緒及其內涵：

語言情緒	用途	感受
直說法（indicative）	陳述事實	中立
疑問句（interrogative）	詢問	開放／感興趣
條件句（conditional）	談判	尋求雙贏
祈使句（imperative）	指示／命令	頤指氣使／專斷
假設法（subjunctive）	假設	探究可能性

　　假設你撰文給某人，介紹你所舉辦的研討會。以下為處理該議題的五種方式：

直說法	我們將在下週二舉辦這場研討會。
疑問句	下週二您會來參加我們的研討會嗎？
條件句	如果您下週二來參加我們的研討會，您將免費獲得一隻鋼筆。
祈使句	下週二來參加我們的研討會。
假設法	如果我們給您優惠，您會來參加我們的研討會嗎？

沒有正確或錯誤的語言情緒，不過，你可以看到，每一種句型所創造出的感受稍有不同，也會引起讀者不同的情緒反應。身為寫手的你，有義務找出適合目的的語言情緒。

在英文中，你也可以使用縮寫，例如用「you'll」取代「you will」、用「I've」取代「I have」。

許多人在學生時代被告誡過，不要在所謂的正式文章中使用縮寫，這些人一直沒有信心重拾縮寫。不過，在各式各樣的銷售寫作中，明智地使用縮寫能幫助你模擬出非常重要的會話語調。你應該盡量讓讀者看到這些縮寫。

語調和白話文有許多重疊之處。本書一再重申，當你同時使用這兩者之後，絕對能讓你展現出一種自然、熱情、人性化的語調。

寫手寶箱：你並非身處法庭

　　許多人慣用一種文體，我想他們是希望文章能聽起來很重要。在我聽來，只流於浮誇，就像十九世紀的律師一樣。準備好了嗎？

　　Hence, we can see that...（由此，我們可看出……）

　　Thus, it's clear that...（因此，很明顯的……）

　　Indeed, we can safely say that...（的確，我們大可以說……）

　　你説話時會用這些字詞嗎？我不認為。當然，如果你想聽起來像是維多利亞女王時代的辯護律師……

第 17 章
標點符號也是銷售工具

　　儘管本書不是教科書，但我還是想花點時間，談談一個你在學校不大可能會想到的主題。我知道你一直都在使用標點符號，可是，你可曾花時間權衡，究竟哪一個標點符號對你的銷售文案比較有利？比方說，是逗號比較好，還是分號比較好呢？是冒號比較好，還是句號比較好呢？

　　如果你也和我所教授和訓練的廣告人一樣，你可能會說，你「從未」想過這個問題，或者「幾乎沒有過」。沒有關係。我們忙著在截稿時間寫出廣告文案，然後緊接著著手進行「待做」事項中的下一個工作，根本沒有時間思考無足輕重的標點符號。但是……

　　用對標點符號並了解如何有效地使用，將為你的銷售文案加分，促使人們閱讀、進而購買。當你越來越熟練寫作工作時，你自己的品味和風格也越能融入文章中。養成正確使用某

些標點符號的好習慣，將能夠協助創造出特定效果或語調。

請記得，標點符號能幫助你的讀者看出你的文章意義。換句話說，也就是理解你的文章。如果他們理解、就能夠行動，亦即掏腰包購買。

我並非要在此詳細說明如何正確使用標點符號（如果真有這種事）。我們把這個任務交給學校。我要做的是，給你幾個提示，讓你知道在銷售寫作中使用標點符號的最佳方式。首先，讓我們先來破解一個迷思。

喘息的時間？

隨便找一群人，問他們標點符號的功用，答案多半是讓你有喘息的機會。錯了。標點符號的主要功能是釐清你的意思。（你還可以用它們來創造出微妙的修辭效果，例如諷刺等等。不過，老實說，如果你在撰寫廣告電子郵件時使用諷刺口吻，一定是有什麼地方出錯了。）

沒錯，當你大聲唸出冗長的句子時，若不想臉色發青、昏倒在地上，則最好中間能夠喘口氣。可是，對於多數的人來說，書面溝通是用來默讀的。不管你是否使用逗號、分號或其他符號，什麼時候想要喘氣就去喘氣。

不要經不起誘惑，在你會喘口氣的地方加上逗號。例如，在句尾重要字詞之前。請看下例：

Our company is driven by one word and that word is,

passion.（本公司受一項因素所驅動那就是，熱情。）

　　句中的逗號是不必要的（而且大錯特錯）。標點符號的用法反映所有語言的口語根源，因此一直受到人們歡迎，但到了十八世紀，口語的重要性開始消退，作家逐漸將標點符號視為句法工具，而非修辭工具。使用標點符號的目的，只是在複製說話者講話時的停頓，以期讓他們的文章更為生動。

　　為什麼說標點符號是銷售工具之一呢？因為，如果你能讓所要表達的意思清楚明白——或者更為清楚——則讀者就更能了解你。如果他們更了解你，他們便更可能做出你想要他們做的事情。現在，讓我們一一檢視幾個主要標點符號，說明該如何發揮它們的效用。

逗號[1]

　　簡單句不需要逗號。這句話便是如此。不過，等你開始提出額外資訊供讀者消化，你便需要逗號來協助你，把額外的部分從主要構想中分開。這些額外部分可放在句首、句中或句尾。如果放在句首或句尾，你就需要一個逗號加以劃分。若放在句中，則你需要兩個逗號。以下是由無逗號的直接句所發展出來的各種句型：

---

[1] 編註：在中文寫作中，逗號的作用是用來分開句內各語或表示語氣的停頓。

〔直接構想〕

The report covers customer service.（本報告報導客戶
服務狀況。）

〔額外部分放句首〕

Published on Friday, the report covers customer service.
（每週五出版，本報告報導客戶服務狀況。）

〔額外部分放句尾〕

The report covers customer service, something we take
very seriously.（本報告報導客戶服務狀況，這是我們
非常嚴肅看待的事情。）

〔額外部分放句中〕

The report, written by our managing director, covers
customer service.（這份報告，是由本部門主任所寫，
報導客戶服務狀況。）

此處一定要記得一件事，在英文句中，當額外部分放句中
時，一定要使用兩個逗號。否則，會有句意不明的風險。以上
句為例，若省略第二個逗號，就會讓人（短暫）覺得部門主任
只寫客戶服務狀況，而非整份報告。

你還可以使用逗號來區分表單中的各個項目。很多人習慣
在最後兩項不用逗號，而用「和」（and）這個字。如下：

Our corporate values are honesty, service, quality and passion.（本公司最重視誠實、服務、品質和熱忱。）

分號[2]

有幾位全世界最偉大、最成功的作家仍搞不清楚分號的用法。你也可以完全不使用分號，用句號即可。不過，分號是很有價值的工具，不用可惜。以下提出幾個基本使用原則。

連接同一類型的句子

有些句子彼此之間關係密切，若用句號把它們分開，則會迫使兩個相連的構想中斷。當第二句詳述、說明、評論或擴充第一句的概念時，你就可以使用分號，來表示兩者的關係。如下：

The trade visit to China was our first; we plan a further three over the next year.（這是我們首度查訪中國大陸市場；我們計畫明年還要再拜訪一次。）

Our company was founded three years ago; we have already doubled our turnover and profits.（本公司創立於三年前；至今營業額和獲利已經倍增。）

---

2 編註：分號在中文裡，是用來分開複句中並列或對比的句子。

請留意，以上二例中，我們都可以用句號來代替分號。這麼做的好處是，句子可以再簡短一點。可是，盲目遵守短句的原則所寫出來的文章，將使優雅程度大打折扣，而且對於讀者來說，語意也會比較不清楚。

將一組含有逗號的字群分開

你也許需要、或想要寫個長句。因此，你的句子可能會拉著一大串由逗號所分隔的子句（就是我們之前提到的「額外部分」）。不管你的文筆多麼精湛，你都會讓讀者因辛苦解讀你的句法和意思，而平添許多負擔。

若想讓句子稍微有一點秩序、並提供強烈暗示，讓讀者知道新構想的起點和終點，則使用分號是既簡單又有效的方式。以下舉例說明：

> At Watkins Widgets, we believe in delivering a quality service, irrespective of the size of the account, producing the best widgets we are capable of, using the latest technologies and manufacturing techniques, and meeting every deadline we are set, whether that means hiring extra staff or working through the night. （在瓦金斯機械公司，我們篤信提供高品質服務，對所有客戶一視同仁，製造出我們能做得到的最佳機械，使用最先進的技術和製作技巧，無論是增聘人手或努力加班，我們

一定在限期內完成每項工作。）

〔一長串子句。〕

At Watkins Widgets, we believe in delivering a quality service, irrespective of the size of the account, producing the best widgets we are capable of, using the latest technologies and manufacturing techniques; and meeting every deadline we are set, whether that means hiring extra staff or working through the night. （在瓦金斯機械公司，我們篤信提供高品質服務，對所有客戶一視同仁，製造出我們能做得到的最佳機械，使用最先進的技術和製作技巧；無論是增聘人手或努力加班，我們一定在限期內完成每項工作。）

〔較有秩序。〕

當表單中的項目字詞過長、或者逗號很多，也應該使用分號。例如：

There were three people on the sales course: Judy, a new recruit, David, who had recently been promoted by John and Sally, the head of marketing. （本銷售案由三位同仁負責：裘蒂，新進人員，大衛，最近才剛被約翰拔擢，莎莉，行銷部主任。）

沒有分號，句意是不是模稜兩可？到底誰是新進人員，裘

蒂還是大衛？大衛是被約翰拔擢，還是被約翰和莎莉一起拔擢？讓我們整理一下：

There were three people on the sales course: Judy, a new recruit; David, who had recently been promoted by John; and Sally, the head of marketing. （本銷售案由三位同仁負責：裘蒂，新進人員；大衛，最近才剛被約翰拔擢；莎莉，行銷部主任。）

冒號[3]

與分號相比，冒號就比它這個同父異母的姊姊好用多了，而且更容易了解、也容易正確使用。在銷售寫作中，冒號主要出現於你想要介紹某一表單的時候，例如：

Maslen on Marketing helps you in three ways: it gives you new ideas, it saves you time and it keeps you in touch with the latest trends in sales writing. （《麥斯蘭談行銷》對您有三大好處：它提供新觀念，為您節省時間，並讓您隨時掌握銷售寫作最新趨勢。）

你也可以把表單放在前面、敘述放在後面，以增加句子的

---

3 編註：在中文裡，冒號用在總起下文，或舉例說明上文。

張力，讓讀者坐起身子、聚精會神。例如：

Lightweight, strong and 33 per cent more flexible than its predecessor: three reasons why the Sunfish tongue depressor belong in every GP's bag. （輕巧、耐用、比前一代產品多出百分之三十三的彈性：這是每一位家庭醫生都應該用太陽魚壓舌器的三大原因。）

一般來說，冒號的用法是，前半句承諾某事，而後半句你將做到這件事。或者，當你先用一段陳述創造出好奇感受，然後你隨後就會提出解答的時候。如下例：

Being a good sales writer is about more than using punctuation correctly: it's about selecting and using every word wisely and well. （一位優秀的文案寫手不僅要會正確使用標點符號：還得明智、妥善地選字和用字。）

請注意，在上例中，冒號後方的句子可以獨立存在。可是它需要前半段，讀者才能理解。

為達成這個目的，我們多半會使用冒號來把兩個相關的句子連接起來，就像是分號一樣。至於什麼時候該用冒號，每個人看法不同，不過，你可以把冒號視為重點介紹，特別是做對比的時候，而不光是後繼想法。

Our research shows one thing above all others: people like people. （本研究最大的發現就是：人類喜歡群聚。）

Always remember this about housewives: they're our customers. （永遠記得關於家庭主婦的一個事實：她們是我們的顧客。）

Our competitors might not believe their customers are important: we do. （其他競爭對手也許不重視他們的顧客：我們卻很重視。）

在此叮嚀，絕不要在「including」（包括）之後加冒號。以下是錯誤的示範：

Sunfish offers a variety of marketing services including: copywriting, design and strategy. （太陽魚提供的行銷服務包括：廣告文案撰寫、設計和策略。）

「包括」這個字代表緊接在後的只是部分名單。冒號卻不同，緊接在後的是完整的名單。

句號

最後，這是我最喜歡的標點符號。為什麼呢？很簡單：句

號代表句子結束。未完的句子也許是阻礙讀者理解的最大因素。事實上，讓我說得更清楚一點，長句是阻礙讀者理解的最大因素。

這一點都沒錯。所有針對理解力和句子長度的學術研究皆指出，長句次數增加，理解力便降低。既然句號用於句尾，那麼，它理所當然是最重要的標點符號。

別忘了，句意模糊會扼殺業績。事實上，任何運用文字發揮影響力的領域，都是一樣的道理。如果人們不了解你的意思，那麼，你又要如何說服他們去做你想要他們做的事情呢？讓我們快速了解一下我們這個新交的好朋友。

聽起來很簡單，不是嗎？把句號放在句尾就可以了。可是，哪裡才是句尾呢？很多人難以回答這個問題。最常見的錯誤，就是所謂的「逗點謬誤」（comma splice）：一個句子接著另一個句子，中間只用逗點隔開，並未用句點分為兩句。請看以下例子：

Our customer service department now has five staff, we will recruit two more in the next month.（我們的客服部目前有五位員工，我們下個月還會再招募兩人。）

Customers are important to us, without them we have no business.（顧客對我們很重要，沒有他們就沒有生意。）

Our plan is for 50 per cent sales growth over the next two years, after that we will consolidate and concentrate on profitability.（我們的計畫是未來兩年業績達到百分之五十的成長，之後就會加強專注於獲利率。）

以上三句中的逗號皆使用錯誤：需要改換成句號。回想以前學校老師的教誨。她告訴你，句子是由主詞、動詞和受詞所構成。

在第一例的前句當中，Our customer service department 是主詞，has 是動詞，而 five staff 是受詞。後句中，we 是主詞，recruit 是動詞，而 two more 是受詞。當你介紹新主詞時，就另起新句子。這表示，你需要先畫上句號，才能繼續寫下去。

我對於句號的最棒建議，就是及早使用、頻繁使用。及早，代表你的句子很短。頻繁，表示你的平均每句字數很少。

除非你有能夠令人信服的原因，否則，盡量避免用分號和冒號來代替句號。你的文章也許因此少一些優雅，可是，可讀性和可理解度卻遠大於這些損失。（當然，如果你有本事兼顧優雅和簡潔，那麼就不用理會我的忠告。）

問號

問號放在句尾。這還用說?!不過，得確定你的句子確實是個問句才行。看看以下兩個例句，你就會了解我的意思：

John Jones asked what we were doing with our surplus
widgets?（約翰‧瓊斯問我們如何處理我們的機械庫
存？）

"What are we doing with our suplus widgets?" asked
John Jones.（「我們如何處理我們的機械庫存？」約
翰‧瓊斯問道。）

第一句是錯誤的，它是內含間接引句的直接敘述句。第二
句才是正確的：問號前確實是個問句，而且還加上引號。

引號

引號的英文叫做 inverted commas，又叫做 speech marks，
最常用來標註引言，像是別人的直接敘述等等。至於該用單引
號 ' '（中文的用法為「　」），還是雙引號 " "（中文的用
法為『　』），則是個人或公司的喜好問題。以下舉出正誤二
例，說明如何使用引號記述他人言論：

Jenny Smith, our CEO, said, "We are on target to achieve
35 per cent growth this year."（珍妮‧史密斯，我們的
執行長，表示：「我們今年的目標是創造百分之三十
五的成長。」）

Jenny Smith, our CEO, said, "the company was going to be on target to achieve 35 percent growth this year." （珍妮・史密斯，我們的執行長，表示：「公司今年鎖定百分之三十五的成長目標。」）

第一句中，引號內是珍妮・史密斯一字不漏的談話內容。第二句則不是。

絕不要把引號用在比喻說法、隱喻或行話上。以下例句中的引號都是多餘的：

We will have to "think outside the box" if we want to achieve our targets this year. （若想達成今年的目標，我們就得「跳脫傳統框架來思考」。）

It's a case of putting our "nose to the grindstone" and getting the job done. （我們得「焚膏繼晷」地把工作完成。）

This sales writing guide is the marketing industry's "bible". （這本銷售寫作指南是行銷界的「聖經」。）

以上用法為何錯誤呢？因為，在各句中，引號內的隱喻或比喻是讀者本來就懂的。沒有人會想成你實際把一群主管圈在框架中、企圖思考框架外的事情。沒有人會以為真有一群員工把鼻子放在石磨上。也沒有人會認為一本行銷指南真的可以成

為聖經。作者只是想故意吸引人注意他們的文案，言下之意是
「快看，我用了一個隱喻」。這就像有些人在提到比喻說話時，
比出雙手兩隻手指，代表用引號把比喻圈起來是一樣的。

驚嘆號

　　請不要以為用驚嘆號就能讓人們對於你說的話感到興奮。
如果你說了什麼無聊的話、或生硬地表達原本是有趣的構想，
拿個驚嘆號放在句尾於事無補。事實上，你還向讀者傳達了幾
個負面信號：

> 「看看我，看看我，我說了很酷的話。」

> 「我像網路垃圾郵件一樣沒品。」

> 「我是個沒有創意的寫手，天真地以為你會被我的驚
> 嘆號所吸引。」

　　這和使用罐頭笑聲是一樣的道理，或者，就像史考特‧費
茲傑羅（F Scott Fitzgerald）所說，是作者為自己鼓掌的聲音。

撇號

　　撇號所引起的問題遠超過其他標點符號。不過，它的使用
原則卻比其他符號簡單。

原則1：使用撇號代表省略的英文字母（縮寫）

範例如下：

Order now and you'll receive a free MP3 players worth
£19.99.

〔You will.〕

（現在訂購，您將免費獲得價值19.99英鎊的MP3播放器。）

I've enclosed your gift vouchers.

〔I have.〕

（我已附上您的贈品券。）

You haven't responded to my invitation to our champagne
reception.

〔Have not.〕

（您尚未回覆我們香檳招待會的邀請。）

在使用得當的情況下，縮寫能夠把會話語氣傳達到你的文字當中。沒錯，它在學界並不受歡迎，可是我們是商人，不是英文教授。

原則2：使用撇號表示所有格

人們很容易在這方面感到混淆。不過，這其實很簡單。除了字尾已經加了複數的「s」之外，則不管是哪一個子音，全

部都只要加上「's」，就成為所有格。

因此，就成了：
Fred's ball（弗瑞德的球）
Charles's ball（查爾斯的球）
The children's ball（小孩們的球）

不過，要注意複數情況：
The monkeys' ball（一群猴子的球）
The boys' ball（男孩們的球）

本原則有幾個例外（總是避免不了的）。

所有的代名詞皆不加撇號：
His（他的）
Hers（她的）
Its（它的）〔不要和it's = it is（它是）混淆〕
Ours（我們的）
Yours（你的、你們的）
Theirs（他們的）

……還有一些古老的宗教名，即使本身是單數，所有格也省略最後的「s」。

Jesus' teachings（耶穌的教義）
Moses' law（摩西律法）

Isis' temple（伊希斯神殿）

不管超市的菜販怎麼想，我們不用撇號來表示複數，蕃茄的複數是tomatoes，不是tomatoe's。還有，雷射唱片的複數是CDs，不是CD's；常見問題的複數是FAQs，而非FAQ's；業務員的複數是REPs，不是REP's。

刪節號

在中文用法裡，刪節號是六個點（英文則是三個點），多半出現在句中。或者，偶爾出現在句尾，像這樣……

它們的正確用法是代表省略的字。不過，在較不正式的用法中，也可以用來在句中製造停頓、或句尾營造扣人心弦的感覺。以下舉出三個例句：

於企業新聞稿中省略幾個字：

"We're all really happy with the new website…a vast improvement on the orginal," said Fiona Smith, chair of MegaCorp's customer user group.（「我們對於新網站非常滿意……比原版改善許多，」超凡企業顧客使用集團總裁，費歐娜‧史密斯說道。）

原本全部的引言可能是：「我們對於新網站非常滿意。歷經不少錯誤的嘗試後，新網站比原版改善許多。」公關經理認

為，記者們對於改善許多的興趣，應該會遠大於錯誤的嘗試，因此刪除了那段可能會有麻煩的內容，而改用刪節號代替。

而在句中停頓的用法如下：

Nine times out of ten you won't need our services...but isn't it reassuring to know that we're here for that one time when you do? （十次有九次你都不會需要我們的服務……不過，若您知道我們隨時待命、等候您需要服務的那一次，您不是會感到安心嗎？）

在銷售信函段落末端製造扣人心弦的結尾：

You also benefit from our patented non-slip technology that means fewer accidents at your factory. But that's not all... （您還能享受我們取得專利權的防滑技術，大幅降低工廠意外的發生。不過，這還不是全部……）

請注意：在英文中，刪節號只有三個點。兩個點看起來像是你不小心按了兩次句號。四個點、或更多點則會讓你看起來很遲鈍。

第18章
學校教的事不重要

　　還記得在上英文課時，學校老師教的那些「規則」嗎？一直到現在都拖累我們，每當我們想說些簡潔的話，就被這些規則綁手綁腳。你也許還記得以下三項：

　　「『以及』（and）絕不能放句首。」

　　「介系詞不可放句尾。」

　　「不定詞不得拆開。」

　　不管你還記不記得什麼是介系詞、什麼是不定詞（我們稍後會說明）。重點是，它們根本不是規則。沒錯，你的老師說它們是規則。我的老師也這麼說。但是，每個世代的老師都玩弄著相同的把戲。為什麼呢？

　　這都是十九世紀幾位老學究的錯。他們決定，英文——健

全地融合各種字源的語言——應該遵照拉丁文和希臘文這兩種純種語言的規則。他們的看法代代相傳，無人挑戰，現在已成了神聖的真理。不過，還有希望。

翻開你書架上的《福勒現代英語用法》（*Fowler's Modern English Usage*）或《習用與濫用》（*Usage and Abusage*）參考書，你就會看到這些規則，不一而足，但全都富含「偏見」、「迷信」，而且導致「矯揉造作」和「粗劣笨拙」。

不過，要記得，撰寫文案時要把讀者放在眼前，這表示，你必須隨時留意他們對於語言的感受。如果他們是那種看到不定詞被拆開就會嚇得要死的人，那麼，你最好避免這麼做。

分裂不定詞

以下是多數動詞的不定詞：

To sit（坐下）

To write（寫下）

To decide（決定）

To go（走）

若在「to」和動詞之間加入副詞，就叫做分裂不定詞。像這樣：

To **lazily** sit（懶惰地坐下）

To **quickly** write（快速地寫下）

To **immediately** decide（立刻決定）

還有，最著名（而且馳名宇宙）的例子就是：

To **boldly** go（大膽地走）

在拉丁文中，動詞的不定詞型態只有一個字，因此，絕對不可能用副詞拆開。這個規則就是這麼來的。可是，英文和拉丁文不同。

在文體上，你應該兼顧清晰和優雅。如果不把不定詞分開，就可以表達出你的意思，那麼，這當然最好。可是，如果把不定詞拆開，無論在感覺起來或聽起來都比較自然，那麼，就大膽去做吧！請看以下範例：

The client failed fully to consider our proposals.（客戶完全不考慮我們的提案。）

上句中，作者害怕把不定詞拆開成為「to fully consider」（仔細考慮），因而不經意地造成句意不明。到底是客戶完全不考慮、還是他們的考慮不完全呢？看看以下分裂不定詞的用法，整個句子是不是清楚多了：

The client failed to fully consider our proposals.（客戶未能徹底考慮我們的提案。）

有一點值得在此提出：人們多半隱約覺得這麼做是錯誤

的。因此，除非你確信讀者不會注意到、也不會在意，否則最好盡量避免分裂不定詞。

介系詞放句尾

介系詞是用來描述兩事物之間的關係：

The monkey was **in** the cage.（這隻猴子在籠中。）

The car pulled up **next to** the kiosk.（那輛車停在涼亭旁邊。）

The hunter hid **behind** the tree.（獵人躲在樹後。）

傳統主義者一定會因為句尾出現介系詞而大皺眉頭。這些迂腐的學究（或者他們喜歡被稱為老頑固）會在你的文章上畫個大叉叉：

A preposition is something you shouldnn't end a sentence with.（介系詞不該放在句尾。）

他們希望你這麼寫：

A preposition is something with which you shouldn't end a sentence.

可是，這也是拉丁文的規則之一。介系詞的拉丁文是 praepositio。是從 praeponere 這個動詞衍伸而來，意思為「放在之前」。像是《牛津英文文法字典》（*Oxford Dictionary of*

English Grammar）這麼有權威的典籍也把這項「規則」斥為「偏見」。福勒則說它是「值得珍藏的迷信」。現代權威同意，正確使用介系詞的最佳指南是你的耳朵。如果它聽起來沒問題，則就是正確的用法。

這些規則也和其他所有與文字安排有關的規則一樣，或多或少有幫助，尤其是，每一個句子的文字排列都有許多可能性。不過，你不一定得受它們約束。

英國前首相邱吉爾曾看到一篇非常笨拙的文章、硬是扭曲成「正確的」形式，他回答：「我口中絕對不可能說出這種胡言亂語。」（This is the sort of rubbish up with which I will not put.）因此，以下這種句子絕對沒有問題：

That's the brick I hit the pedant with.（那是我用來毆打老學究的磚塊。）

把「and」（或「but」）放句首

我不知道這項規則從何而來。不過，我敢打賭，就在你學會 ABC 字母之後不久，這條規則就已經琅琅上口。

我懷疑這與「and」和「but」是連接詞有關係。因此，學校老師的想法是，「and」絕對不能放句首，否則前面就沒有句子可以連接。可是，「and」也有「furthermore」（此外）的意思。而「but」有「however」（然而）的意思。換句話說，它們所連接的是前一句完整句子。

關於這方面，沒有什麼好多說的，你大可把它們放在句首。天空不會出現閃電把你打死。舊約聖經（King James Bible）譯者顯然也認為這麼做無傷大雅。以下是創世紀第三句：

And God said, "Let there be light"; and there was light.
（神說，「要有光」；就有了光。）

面對愛批評的同事或主管時，如果認為聖經不適合拿來為你的商業信函辯解，那麼，《經濟學人》怎麼樣？拿起最新一期的雜誌，我保證你會找到以「and」或「but」開頭的句子（甚至段落）。

重點摘要

☑ 要記得，你的讀者一直在找尋停止閱讀下去的原因。使用短句和簡短段落來吸引他們。也可以使用「您」和「免費」這類魔術字眼。

☑ 使用強力字眼、短字、白話，為你的文案注入一些清脆、劈啪和爆破響聲。

☑ 盡量使用自然、親切、會話式語氣——這是你和讀者面對面說話的方式。

☑ 標點符號能讓你的意思更清楚。正確使用標點符號，能讓你的文章更具說服力。

☑ 如果你發現你的文章受到神聖不可侵犯的規則所束縛，就像聖牛在犁田一樣，則趕快拔出你的槍。

第五部分

重視外表？

「偉大的設計師很難成為偉大的廣告人，因為他們折服
於圖畫的美麗——而忘記必須賣掉商品的使命。」

——詹姆斯·藍道夫·亞當斯（James Randolph Adams），

美國資深廣告人，1898-1956

第19章
編輯你的文案

終於，你打完最後一個字。完成了。嗯，還沒。你眼前的只是初稿。而你的初稿絕對不夠完美，還未到可以直接使用的程度。事實上，如果你只有時間寫完初稿，那我建議你乾脆一開始就不要寫。

有人曾說過：「寫作就是一寫再寫」。意思是，想要寫出佳作，就必須把寫作視為一個過程。編輯──或者說改寫──是過程中的主要部分。這是你評估你的稿子，並且加以判決的機會。以下是面對初稿時應該省思的十個問題：

1　它是否使用讀者能夠了解，並會加以回應的語言？
2　它是否達成你所說的目的（還記得你的寫作計畫）？
3　是否清楚？
4　是否簡潔？

5　是否有趣？

6　是否句意不明？

7　文章安排是否吸引人？

8　文中有沒有無聊話、贅字或陳腔濫調？

9　它是否依正確順序探討各個議題？

10　你有沒有使用圖表或圖片來說明或圖解重點？

適當的長度

有個最重要的問題，那就是：「我該寫多少？」如果你在行銷部工作，則可能會遇到「長文案好、還是短文案好」的辯論，甚至有可能加入討論。

答案是，把你需要寫的全部寫出來，然後停筆。撰寫初稿時，過多總比不及來得好。多寫很容易。撰寫初稿的時候，先不用編輯你的文章。你可以把所有想法都打到螢幕（寫在紙）上，不用擔心是否傳達出你想要的優雅或語氣。然後，等到編輯時，再苛刻地大刀揮砍。

如果寫的太少，則你可能需要絞盡腦汁，把文案擴充成你需要的長度。這有兩個缺點：第一、不管初稿內容好壞，你都得全部保留；第二、事後再增加內容，可能引起結構問題，破壞「完整」文案的流暢性。

哪些應該刪除？

只要是不符合你所陳述的文案目的，都應該刪除。

　　若你寫的是銷售信函，而陳述的目的是讓讀者試訂，凡是讓他們做其他事情、或什麼也不做的，都不適合留存，應該刪除。如果你寫的是商業報告，陳述目的是說服董事會撥款贊助某一專案的進一步作業，則任何會讓他們覺得不該撥款的內容，都應該刪除。

要改寫幾次？

　　我已經說過，一份草稿是不夠的。那到底多少次才夠呢？至少三次，才勉強有五成達成目的的機會。可是不用擔心。這不代表你得重寫兩次。重寫是指拿出一張白紙，重頭開始。這表示你沒有花足夠的時間來規劃你想要說的內容。我會說，改寫是使用越來越敏感的工具來校準目標。

　　三次改寫目標如下：

1　初步嘗試，素顏示人。
2　拼字（錯別字）檢查。
3　印出文件，進行校對。

　　你看看，這個編輯過程是多麼簡單。不拔除不必要的章節，更別提刪除不必要的字詞。不重新檢視語氣、也未檢查架構或文體。你只能說，整個過程讓文章完全沒有任何錯誤。

　　若想有七成五達成目的的機會，我建議使用五次改寫流程：

1　初步嘗試，素顏示人。

2　廣泛評估是否符合計畫。

3　檢查架構和不必要的章節、段落和字詞。

4　審視語氣、暗喻、未經修飾的措詞、文體和標點符號。

5　印出文件，進行拼字及錯別字檢查和校對。

你必須膽大無畏。光是把初稿拿來修修邊是不夠的。你得依序使用以下工具來修剪你的初稿：

改寫次數	修剪工具
1	電鋸
2	修草機
3	大剪刀
4	小剪刀
5	手術刀

要記得，報酬遞減法則也適用於銷售寫作上，就像灑農藥的道理一樣。每一次改寫，都能改善文章內容，不過，改善的程度也越來越小。

修改到某種程度後，新草稿的品質不升反降，如果有其他人張開魔爪蹂躪你的文章，則更是如此。以下圖表顯示整個過程。

改寫次數與文章品質

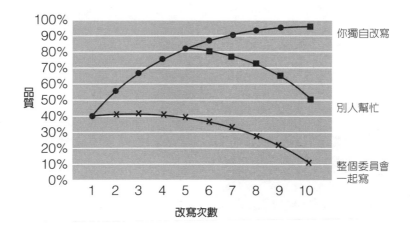

你獨自改寫

別人幫忙

整個委員會
一起寫

品質

改寫次數

第20章
校對

　　沒錯，就快大功告成了。文案已經起草、改寫、編輯。現在是校對的時候了。一定要檢查兩遍。如果是電子郵件，則要檢查三遍。

　　你知道，有不少聰明人往往花了很多時間撰寫電子郵件，寫完後，甚至看都懶得看，就按「寄出」，更何況是平面文案呢？這每每令我不解。因為，我看過連客戶名字都拼錯的電子郵件。你認為這對客戶傳達了什麼訊息？「我在乎你？」不。「你的生意對我很重要？」我不這麼認為。「我希望你知道我尊敬你？」哦，拜託。

　　事實上，你那未妥善隱藏的言下之意是：「嘿，我是在跟你說話，可是我太過忙碌、而且地位重要，無暇檢查拼字。我想，不管怎麼樣，你都會向我購買的。」最近，有位客戶在會議上大聲質疑差勁的商業寫作是否讓公司付出代價。絕對會

的。它會讓業績下滑、商譽受損、名聲蒙塵。

以下做法能確保這些可怕的結果不會發生在你身上。

第一，你必須養成習慣，把文件列印出來，從紙上來閱讀、檢查。首先，閱讀列印出來的文件，眼睛比較習慣、也較不易疲倦，能夠讓你專心於文件內容。同時，閱讀列印出來的文件速度會比較慢（而且必須如此）。我建議人們把電子郵件印出來檢查時，曾有人不解地看著我，好像我的建議很瘋狂。「可是，這麼做速度太慢了，」他們都大聲叫道。

不過，這些人同時也不介意把有拼字錯誤的報告傳給他們的執行長。沒錯，檢查文章內容的確很花時間。可是，想要修補讀者對於你的差勁文章的壞印象，則花多少時間都沒有用囉！

第二，撰寫和校對之間要留點時間，最好是一天的時間。不過，如果你沒有那麼多時間，則至少也要一個小時。如果你在文章寫完後馬上急著校對，則你的大腦會自動更正錯誤，而不會告訴你。映入你眼簾的是你原本想要說的話，而非實際的白紙黑字。

時間急促時，還有補救方法。那就是找個校對夥伴。兩人同意互相檢查對方的文章。如此一來，文章一寫完，就可以馬上交給對方。當然，前提是你的夥伴除了幫你校正文章以外，沒有其他事情要忙：「請幫我校對這份文章，哦，順便一提，一定要在十一點半之前完成。」

拼字及錯別字檢查

　　錯別字最能讓人覺得你無知或懶惰。如果你寄給讀者一份有拼字錯誤的文件，也等於是羞辱他們。言下之意是：「我根本不關心你，懶得檢查拼字。你來檢查就行了。」

　　拼字檢查不光是點選螢幕上的拼字檢查選項。電腦的拼字檢查雖然是很棒的工具，但畢竟有它們的限度。只要是拼法正確的字，甚至不是你要的字，都能逃過電腦的法眼。以下幾個錯誤，電腦都不會發現：

Going（去）／gong（鑼）

In（在裡面）／ion（離子）

Can't（不能）／cant（黑話）

We're（我們是）／were（是）

From（從⋯）／form（表格）

Except（除了…）／accept（接受）

The（這）／he（他）／then（然後）

談到拼字檢查，有個最糟糕的問題，那就是我們自己的忙碌感受。你知道的，你終於及時完成初稿。你現在只想趕快交差。於是，你選取全文、按了拼字檢查的選項，快樂地（盲目地？）接受電腦「全部更正」的建議，自己看也不看一眼。你喜歡看到「交差」（seals）而不是「成交」（sales）嗎？你也許是這種人。

如果我的英文拼字能力不佳，怎麼辦？

不是每個人都是拼字高手。沒有關係。你只需要做個優秀的檢查員就可以了。再告訴你一個祕訣。

買一本好字典來用。我用的是《簡明牛津字典》（*Concise Oxford*）；美國的同事可能比較習慣《韋伯字典》（*Webster's*）。如果你不確定某個字的正確拼法，去查字典。這是個值得養成的好習慣，而且也能幫助增加你的字彙。

當然，我也認為，如果你想用的字連你自己都不確定怎麼寫，那麼，也許你應該找個簡單的字來替換。

在我心底深處（靠近表面也是一樣），我相信拼字錯誤遠比與標點符號相關的錯誤來得不重要。你的意思通常不大受拼字錯誤的影響，可是，就有可能因為標點符號的錯誤而受到曲解。儘管如此，人們多半認為找出拼字錯誤比較簡單，因此會

妄下結論：你無知又懶惰。養成習慣，同時使用電腦軟體和你的雙眼來檢查文章內容。

寫手寶箱：文案正確無誤的五大步驟

　　如果你懶得校對，那麼，你也許入錯行了。不妨嘗試電話銷售：沒有人聽得出來你如何拼字。

　　若有什麼事值得你寫出來，那麼，也就值得你細心檢查。要記得：如果你沒有找出你的錯誤，其他人也會發現。你會把自己的愚昧和／或怠惰公諸於世人。

　　以下是我個人進行校對時所採行堅不可摧的黃金標準。

1. 印出你的文件。
2. 從後面往前閱讀。
3. 從下面往上閱讀。
4. 從右邊往左閱讀。
5. 用一張白紙蓋住前一行。

　　這個技巧能破壞你的大腦自動讓某一內容具有意義的能力。你迫使你的大腦一次只思考一個字。把閱讀速度減緩到你六歲時的實力，如此一來，你便能逐字檢查，找出所有錯誤。

第21章
檢查可讀性

　　檢查文章時，有個最棒又最簡單的方式，那就是查看可讀性。它可看出讀者是否容易了解你的意思。因此，很明顯的，你的文章可讀性越高，表示讀者對你言聽計從的機率就越高。

　　結果是，檢查文章可讀性一點都不費功夫。你會按滑鼠嗎？當然會囉！好，那你就能夠查看可讀性。以下是執行步驟（前提是，你用的是微軟 Office Word。如果你用的是其他軟體，只好說聲抱歉了，不過，我相信你的文字處理套裝軟體中，一定有類似的功能）。

　　在螢幕上方的工具列中，點選工具。然後進入選項。現在，點選拼字與文法檢查。在左下方有個方格，後方寫著「顯示可讀性統計」。如下所示：

　　要確定在方格中打勾。現在，你只要點選拼字檢查（你每次都會這麼做的，對吧？），就會在下方看到可讀性統計。如下：

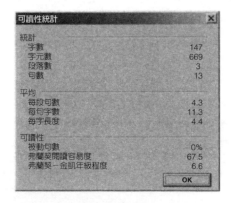

　　以上範例顯示本書原文書在本章前三段英文原文的統計數字。你還記得我們在第3章談過句子的平均長度嗎？上例下方的一組數字引起我們的關注。

- 被動句數（passive sentences）顯示被動語氣在整個內容中的比例。萬歲！我一個都沒有。

- 弗蘭契閱讀容易度（Flesch reading ease）是由全球可讀性專家魯道夫・弗蘭契（Rudolph Flesch）博士所發明的公式。得分越高越好。60%就等於白話英文。

- 弗蘭契－金凱年級程度（Flesch-Kincaid Grade Level）涉及美國公立學校閱讀年齡。7.0分代表七年級的學生能夠了解其內容。這是12歲的學齡。

　　可是，這不代表你的讀者是12歲的孩童，也不表示你的成人讀者只有12歲學童的閱讀能力（不過，這是有可能的）。要記得，你的讀者對於閱讀你的文章並沒有做任何投資。這意味著，他們不大可能會全神貫注地閱讀。這也意味著，他們的有效閱讀年齡要比實際閱讀年齡還低。因此，寫出簡單的內容，讓忙碌的人們不需集中注意力也能夠了解，絕對是有好處的。

　　如果你的弗蘭契閱讀容易度分數不理想——比方說，低於50——則問題應該是出在句子長度上面。重新閱讀你的文章，找出所有的長句。有沒有辦法縮短它們，或把它們一分為二、甚至分為三呢？還有，找找看有沒有非必要的長字。如果你知道自己習慣用「intoxicated」代替「drunk」（酒醉）、愛用

「assistance」代替「help」（協助），那麼，要提高可讀性，就不是那麼困難了。

養成檢視可讀性的習慣，最後，你自然而然就會習慣使用簡單、易讀的方式來表達你自己。事實上，它還會讓你上癮。

第22章
版面編排──如何幫助讀者

本章和寫作沒有直接關係,而是關於你的文字如何呈現於紙上。不過,你已經在你的文案上花了那麼多精力,難道你不想確定你的讀者能夠方便讀它嗎?

以下我們將討論幾個簡單的方式,讓你的版面編排發揮最大效果。有些簡單的方式,能讓讀者不花眼力就輕鬆讀懂你的文案;有些恐怖的做法,則會讓他們生不如死。

目錄

如果你寫的是報告,或是內容稍長的廣告小冊子(比方說,八頁以上),則你應該考慮列出目錄。這是所有人類發明中最簡單、又最有效的導航工具,可是,卻有許多商業寫手完全忽略它的存在。

也許,他們認為讀者想要花時間猜想自己感興趣的內容在

哪裡。也許，他們想要迫使讀者吃力地讀完整份文件。誰知道呢？不過，為讀者提供目錄，讓他們可以直接去讀自己感興趣的部分，這很重要。你幫他們省了不少時間。

要記得，目錄中不要光列出章節名稱，還要寫出頁數。然後，記得在每頁文件下方都要標上頁數。如果是A4大小的紙張，則你可以考慮使用虛線來指引讀者目光，將章節標題連到相對應的頁數。

註腳

有時候，你需要解釋事情——專業術語或行話——或要釐清某統計數字或評論的出處。你可以將說明安插在內文中，用兩個逗號或括號隔開。不過，這會中斷句子的流暢性，而且，這些只是背景資訊，並不屬於你的內文主體。

你不妨使用註腳。你可以在內文中加入參考號碼，像這樣[1]，然後把編了號的註腳放在同一頁下方。

色碼

若想把冗長的文件分成一個個易管理的小部分，則色碼是很棒的方式。你可以在目錄上使用色碼，做為目錄或企業廣告冊子的速成視覺參考系統。這種技巧被廣泛使用在郵購目錄中。

---

[1] 註腳使用原則，是為了讓內文清楚、優雅（像這樣）。

箭頭

若你想要指引某人到某處，就在他鼻子前方畫個箭頭。

圖框

若想強調內文中的某一小部分，你可以把關鍵字詞放在特製的圖框內。讀者往往會先閱讀這些部分，因此，它們是迅速傳達你的重點的有用方式。

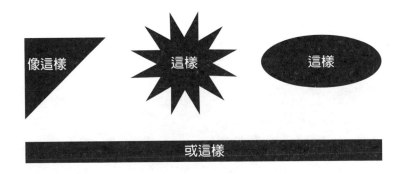

只要確定你的版面設計師所使用的圖形設計能夠配合你文章的整體風格、語氣和目標讀者的期許，就可以了。

圖片

不管你是自己設計文案，還是請版面設計師代勞，都一定

會遇到製圖的問題：簡單如小插畫，複雜如原版照片和圖解。我認為，不管你用的是哪一種圖片，它們都能夠讓內文更為活潑、並添加視覺趣味，不過，你必須問問以下這些問題：

它的目的為何？它能幫助我的讀者了解內文嗎？它是否讓讀者更接近我的廣告目標？

圖片看起來多半屬於純裝飾的作用。效果不夠好。

它是陳腐的做法嗎？

有太多商業文件使用時鐘、齒輪、印度豹和西洋棋子的圖形。太常看到現實生活中不可能出現的帥哥美女主管握手成交，或對著他們的電腦螢幕微笑。你可以發揮更多創意。

它有沒有圖說

圖說能吸引注意，而且人們在看到圖片後，就能馬上閱讀這些圖說文字。不知不覺中就能達成推銷的效果。

圖片的內容讓人一目瞭然嗎？

如果你讓讀者困惑，則你會激怒他們。

標題

我們在第10章討論過標題。此處重點不放在內容上，而是它的呈現方式。最重要的，是要找出你的標題所適用的字體組合，然後從一而終。簡單的組合如下：

1　主標題（細明體20點加粗）

2　章節標題（細明體16點加粗）

3　章節副標題（細明體12點加粗、斜體）

前後如一的標準能創造秩序，指引人們進入內文。每當讀者看到章節標題的字體，他們便知道新的章節已經展開。若看到新的副標題字體，便知道他們還在原來的章節，但將讀到新資訊。

字體大小

一般來說，字體必須小到讓一頁的內文有合理的數量；要大到讓讀者不用放大鏡、就可輕鬆閱讀。

要小心，有時在版面設計師送來的打樣中，會發現你精心撰寫的內文被設計師以極小的字體放在精美的白色紙張上面。他們自己不需要閱讀內容、更別說會根據內容採取什麼行動了。

在英文中，我建議字體不要小於10點Arial和11點Times New Roman。如果你用的是其他字體，在視覺上也要和我所提出的這兩種相當。

字型

為了可讀性，我們可以著重一項字型特性：襯線（serifs）。襯線指的是字體尾端的小尾巴。

little

襯線有兩大功能。它讓人們容易閱讀個別字母,而且使目光維持水平。這兩項功能對於可讀性都極有幫助(或說在印刷體上是如此,稍後會詳加說明。)

以下同樣的字以無襯線字體(sans serif)印出,字母尾端沒有小尾巴。

little

沒有襯線來引導目光維持水平,字母本身的垂直線指引目光向下,違反英文字的自然閱讀方向。

無襯線字體適合用在標題上,因為標題字數要比內文少了很多。它們在網路或任何電子媒體上的效果也比較好,因為螢幕影像和內文是由電腦畫素所組成,而這種字體很容易呈現在這些小小的方形元件上。它們比較清楚、明顯,因此容易閱讀。

　　如果貴公司指定無襯線字體，你也不要感到沮喪。它們並非無法閱讀，只是比較困難一點。你需要提防這一點，而且最好考量版面的整體效果。

障礙物

　　光是有統一的標題組合、適當的字體大小和字型是不夠的，最佳的版面是向左靠、讓右邊自然地參差不齊。也就是說，左邊對齊、右邊不對齊。

像這樣：

Sans serif typefaces can work very well for headlines, where there are fewer words than in body text. They also work better on the web or in any digital medium, because they are easier to render out of the little square building blocks called pixels that make up on-screen images and text. They are cleaner and sharper and therefore easier to read.

（無襯線字體很適合用在標題上，因為標題字數要比內文少了很多。它們在網路或任何電子媒體上的效果也比較好，因為螢幕影像和內文是由電腦畫素所組成，而這種字體很容易呈現在這些小小的方形元件上。它們比較清楚、明顯，因此容易閱讀。）

左右兩邊對齊，像這樣：

Sans serif typefaces can work very well for headlines, where there are fewer words than in body text. They also work better on the web or in any digital medium, because they are easier to render out of the little square building blocks called pixels that make up on-screen images and text. They are cleaner and sharper and therefore easier to read.

如此一來，你的電腦為了讓左右兩邊內文對齊而拉長的空間，往往會形成曲折向下的白色河流。人們的目光很容易順著這些河流向下，而難以逐句閱讀。

置中的版面，像這樣：

Sans serif typefaces can work very well for headlines, where there are fewer words than in body text. They also work better on the web or in any digital medium, because they are easier to render out of the little square building blocks called pixels that make up on-screen images and text. They are cleaner and sharper and therefore easier to read.

……也許看起來很有吸引力，可是你的目光必須搜尋每一行的新起始點。不但容易使人疲倦，而你也很可能因為找錯開頭而漏讀一、兩行。

向右對齊，像這樣：

Sans serif typefaces can work very well for headlines, where
there are fewer words than in body text. They also work
better on the web or in any digital medium, because they are
easier to render out of the little square building blocks called
pixels that make up on-screen images and text. They are
cleaner and sharper and therefore easier to read.

　　這和置中有著同樣的問題。而且，它看起來也很像是由後往前的行文順序。

反白內文則如下所示：

> Sans serif typefaces can work very well for headlines, where
> there are fewer words than in body text. They also work
> better on the web or in any digital medium, because they
> are easier to render out of the little square building blocks
> called pixels that make up on-screen images and text. They
> are cleaner and sharper and therefore easier to read.

　　幾乎等於是要讀者別花功夫閱讀。可是，他們若想讀這段內文，還真得花一番功夫不可。我們習慣白底黑字的閱讀形式。報紙和書都是一樣。因此，顛覆傳統絕對是自找麻煩。
　　唯一的例外是，人們必須在黑暗中閱讀。因此，如果你寫的是，得在黑暗觀眾席閱讀的舞台劇節目表或幻燈片，則可使用黑底白字。

把內文編排成可笑的形狀，就像這樣：

Sans serif
typefaces can work very
well for headlines, where there are fewer
words than in body text. They also
work better on the web or in
any digital medium,
because they are
easier to
render
out
of the
little square
building blocks
called pixels that
make up on-screen images.

這實在是太可笑了。（不過還是有人這麼做。）

中斷的項目列表

項目列表是分隔冗長敘述、凸顯重點的絕佳方式。你只需要確定所有項目都列在標題下方，就可以了。絕對不要把放不下的項目置於下一欄，這樣做就等於是把幾個脫隊的孤兒（單一字詞或短句）放到下一欄上方，讓其自生自滅。在這種情況下，最好刪減列表項目，讓它們寬裕地放在既有空間，或者，重新設計版面，讓整個表格能夠維持在同一頁。

過長的段落

嚴格來講，段落是思考單位、不是長度單位。也就是說，要等段落結束，才是論點的結束。你要一直描述到構想或思維表達完畢為止。不幸的是，這可能導致令人厭惡的冗長段落，會產生使讀者不悅的視覺效果。

當段落超過五、六行時，最好把它拆開。這麼做絕對有好處。當然，這只是個主觀的標準，你自己的判斷力會告訴你，文件看起來是否很笨重。不過，呈現出不完整的想法，對於讀者會產生一個非常正面的效果。它迫使人們繼續閱讀下一個段落。為什麼呢？

因為，我們在第13章也說過，它引出一個基本的人性需求——對於結束的需求。我剛剛就用了這套方法，上一段落以「為什麼呢」收尾。

學得這項技巧後，你便能巧妙地操縱讀者，用得當的問題、懸宕的想法和承諾的收益來鼓勵他們。

差勁的配色

我說過，可讀性最高的顏色組合是黑與白。深藍配乳白色則適合高價位市場，和黑白配有異曲同工之妙。

黃色或淺灰色的字在白色的背景上根本無法閱讀（而我親眼看過有人用過這兩種顏色的字）。另外還有一些顏色組合，例如紅配綠，文字像是跳躍在紙上一樣，無法靜止下來供人閱讀。

第23章

版面設計——設計師能做的事
（以及你絕不能讓他們做的事）

優秀的設計師能夠扭轉業績。他們會運用自己的專業知識和感受，從字體、留白、視覺導航和顏色下手，來提高你文案的影響力，確保讀者能清楚地接收到你的訊息。

我合作過最棒的設計師（事實上，我現在仍每天與他共事），是在英國牛津郡的版頁公司（Colophon）服務的羅斯‧史皮爾斯（Ross Speirs）。羅斯和我已有十五的合作經驗，我們的作品從英國標準協會（British Standards Institution）的郵寄廣告，到《實踐車隊》（*Practical Caravan*）雜誌廣告，包羅萬象。

他會做一件一般設計師很少做的事情。他閱讀我的文案。這是版面設計師能為你做的好事之一。他們親自閱讀你的文案後，能夠看出重要訊息——甚至需要特別凸顯的句子或片語——然後把它們抽出，做為標題、引語或加框。

　　羅斯會確保我的文案有高度的可讀性。這是他的目標。（他會問我這份文案的目的是什麼，而這又是業界另一個少見的做法。）我想知道他對於優秀設計的看法，於是發了一封電子郵件給他，問了幾個問題。以下是他的回答：

安迪　　為什麼要僱用版面設計師？

羅斯　　就像人們僱用木匠或水電工是一樣的道理。一個學有專精的設計師有豐富的專業經驗，能運用字體編排和圖片原理讓行銷文案更協調、更易讀——這種專業水準需要花好幾年的工夫才能培養出來。半路出家的人會在細節上露出馬腳。

安迪　　當寫手選擇設計師時，應該留意哪些條件？

羅斯　　要有與你手上專案相關的經驗。能理解字詞、文體，以及清楚且架構完善文案的重要性。徹底了解你文案的功能和主旨——它將如何傳達資訊、它的目標讀者，以及你想要獲得什麼樣的反應。

安迪　　一位優秀的設計師如何協助寫手達成他們的目標？

羅斯　　經由閱讀並了解文案內容。一篇好的文案會提供線索，優秀的設計師便能從中看出如何讓文字躍於紙上。優秀的設計師能發揮他在圖畫上的經驗、為文案構造和敘述細節加分。

安迪　　一位優秀的設計師對於文案的最大幫助是什麼？

羅斯　　讓它容易閱讀。

安迪　　該怎麼辨識出優良的設計？

羅斯　　它應該讓你很難注意到。訊息在毫無障礙的情況下，迅速且清楚地表達出來（在所有層面）。

安迪　　在交付任務給設計師之前，必問的最重要問題為何？

羅斯　　客戶二度委託你的情況多不多？

絕不能讓設計師做的事

身為寫手，我們花了（或者應該花）許多時間坐在電腦螢幕前、從石頭中雕琢出鑽石。為什麼有許多同業要把作品典當給藝術總監和版面設計師，滿足他們創造出「很酷」作品的人生目標呢？

別忘了，是設計師為你工作、不是你為他工作。給設計師一份書面簡報。即便沒有簡報，你也要拒絕接受他們有權在你努力撰寫的銷售文案上、放縱自己對高級藝術的幻想或流行構想。

我很幸運。和我合作的，多半是有靈感、又能啟發別人的設計師。他們了解，若要達成客戶想要的效果，則內文和設計就必須互相融合。不過，有時候我得請別人提供廣告或信函設計樣本。你猜怎麼著？十次有九次都讓我欲哭無淚。

設計師有許多方式能夠搞砸一份相當不錯（甚至偉大）的銷售文案。其中，尤以下方三種做法最令人討厭。

1、很難填寫的訂購單

一開始就提出這一點似乎很奇怪。不過,凡是我《麥斯蘭談行銷》雜誌的老訂戶都知道,訂購單一直讓我困擾不已。為什麼呢?哦,我不知道——也許因為那是我們獲得金錢的方式。

我的煩惱來源是一位版面設計師,他不知道如何創造出容易完成的東西。或者這麼說,他的設計層次太高,完全不擔心是否有人會回覆他的郵寄廣告。很明顯的,他把廣告的「流行尖端」展現在設計信用卡號碼格上面,結果成了一個個小得不能再小的圓圈設計。而他的「酷」,讓讀者必須從報紙廣告中剪下章魚形狀的折價券。可是,我們不希望符合流行尖端及酷的設計摧毀了廣告的效果。

我的建議?空格要夠大,讓一般塗鴉者容易填寫。折價券的設計要簡單,最多兩刀就可以剪下來。

2、亂七八糟的字體

告訴你一個鮮為人知的事實。至少在平面設計同業當中,很少有人知道。準備好了嗎?

人類越老、視力越差。

因此,把字體訂在七級或八級的大小,對於你的顧客來說,是一大挑戰。尤其是,還結合了差勁的配色、或在彩色照片上標上白色的字、或以內文做為背景(不,我也不知道這怎

麼會是個好構想）。

另外，我要斥責的還有企業風格指南（通常所費不貲，在每人桌上丟一本後，一週內就會被人忘記），他們通常指定使用可笑的字體安排，似乎所有內文一樣重要；或者，不管字體有多小，都堅持用無襯線字型。

我的建議？使用的字體大小，要讓人不需特地戴起眼鏡就能閱讀。不要理會企業識別部對於字體的嚴格規定。（除非是好規定。不過，這很少見。）

3、無意義的影像

一個男人站在裝潢美麗的辦公室。眼見之處看不到任何紙張。他拉起威尼斯風格的百葉窗，向下俯視街道上螞蟻般大小的勞動者。他叼著名牌眼鏡的一端，並拿起時髦的黑色行動電話，優雅地笑著，同時指著筆記型電腦螢幕。（他有很多隻手。）

他所代言的是退休基金。不，快遞服務。不，襯衫。軟體。游泳褲。事實上，我一點都看不出來。因為，目前大約有八萬兩千種廣告都使用同樣的影像。

我的建議？給顧客看到你希望他們購買的產品。製作原版照片。若有人拿微笑的主管廣告樣本給你看，你就給他一拳。（除非你的產品是微笑的主管。）

重點摘要

☑ 寫作就是一寫再寫。初稿絕對不夠好,所以,要預留編輯的時間。

☑ 你一定要校對每件事,電子郵件也是一樣。把文章列印出來校對,不要在螢幕上校對。

☑ 養成檢視可讀性統計的習慣——得分越高越好。

☑ 把版面編排和字體視為兩項銷售寫作工具。如能妥善使用,它們將能夠大幅提昇你文字的影響力。

☑ 確認你的設計師了解你文案的目的。確保他們只做出協助讀者了解文案、並做出回應的事情。

第六部分

接下來呢？

「他們說，沒有人是完美的。然後，他們又告訴你，熟
能生巧。我希望他們說話不要前後不一。」

  ——邱吉爾（Winston Churchill），作家暨前英國首相，1874-1965

第24章
行動祕訣

在本書所涵蓋的構想、觀念和技巧中,有些已經讓我在寫手生涯中受惠二十多年。若能知道它們、實踐它們、反覆試驗它們,則你將成為更優秀的寫手。此處的關鍵詞是「實踐」。寫作可以是件很愉快的事情,即使是銷售寫作也一樣。不過,它就像園藝或彈鋼琴也很愉快一般,都需要下一番功夫。我會在本章提出幾點建議,讓你知道如何強化寫作技巧。

大量閱讀

強生博士(Dr Johnson)是知名的英國語言專家,其金玉良言常常被人引述。他曾說過,業餘寫作者是那些寫的比讀的還要多的人。他的意思是,要成為一位好作者,你需要研讀其他好作者的作品。光是閱讀好文章,就能夠讓你的寫作技巧精

進不少。幾乎等於直接經由閱讀來獲得優良寫作技巧。

那麼,下一個問題就是,你該讀什麼?這其實沒有多大的關係,只要你廣泛閱讀,選擇好作者就可以了。不過,我會建議你從以下刊物開始。

雜誌

《經濟學人》(*The Economist*)——它的分析與清晰的寫作風格舉世聞名。

《紐約客》(*The New Yorker*)——充滿優美的文章,風格要比《經濟學人》稍為自由,而且少一點商業氣息。

報紙

在所有報紙中,如果你真想看到發出清脆、劈啪和爆破響聲的文章,則絕對非《太陽報》(*Sun*)莫屬。許多人對這份報紙嗤之以鼻,不過,它的寫作卻是無與倫比(而且在文法上也完全正確)。

若想讀到充滿複雜長句和艱澀字彙的佳作,則你可以閱讀《泰晤士報文學副刊》(*Times Literary Supplement*)。我無法保證你能了解每一個字,不過,這些文章絕對是優秀的作品。

推薦作家

優秀作家族繁不及備載,不過,我心目中的英雄包括廣告界的大衛·奧格威(David Ogilvy)、杜雷頓·勃德(Drayton

Bird）、克勞德・霍普金斯（Claude Hopkins）和羅伯特・布萊（Robert Bly），以及小說界的史帝芬・金（Stephen King）和娥蘇拉・勒瑰恩（Ursula LeGuin）。

小說

　　你個人的喜好遠比我的推薦重要。不過，何妨選擇你平常不會去接觸的作者、性別或時代，看看你能從中學到什麼呢？誰知道，你也許會喜歡它。我個人喜愛的作者包括查爾斯・狄更生（Charles Dickens）、安東尼・特洛普（Anthony Trollope）、珍・奧斯汀（Jane Austen）、約翰・厄普代克（John Updike）、強納森・薩弗隆・佛爾（Jonathan Safran Foer）、喬治・桑德斯（George Saunders）、菲利普・羅斯（Philip Roth）、羅伯森・戴維斯（Robertson Davies）、瑪格麗特・艾特伍（Margaret Atwood）、雷蒙・卡佛（Raymond Carver）、喬伊斯・卡洛・奧茲（Joyce Carol Oates）、伊恩・麥克尤恩（Ian McEwan）、威廉・崔佛（William Trevor）、莫瑞爾・史巴克（Muriel Spark），以及彼得・凱瑞（Peter Carey）。

商業著作

　　我不知道有哪些商業書籍值得推薦給你做為寫作參考，因為，多數談的都是不該做的事情。不過，同時用批判和商業的眼光來閱讀你所收到的報告、電子郵件、郵寄廣告和提案，你就會逐漸看出哪些是好的作品、哪些是壞的作品。

　　如果你看到喜歡的片語、字詞或文件結構，盡量偷過來用。凡是專業寫手偶爾都會採取仿效的做法。

「女士，你得多加練習」

　　有位老女人走到紐約第五大道的一處工地，向工人問道：「年輕人，請問卡內基廳怎麼走？」工人回答：「女士，你得多加練習。」

　　寫作也是一樣。不管偉大的強生博士怎麼說，除非你多加練習寫作，否則永遠跳脫不出業餘者的框框。可是，什麼叫做練習呢？是勤於筆耕？還是有什麼其他更有效的做法？其實，兩者都得兼顧。不過，首先，你得知道自己的寫作習慣。

　　職場如戰場，我們忙著交出一篇篇的文件，卻從未真正思考我們究竟在做什麼。我們只是忙著交稿，無暇思考遣詞用字、字詞排列順序、標點符號或語氣。不過，這些都很重要。以下是幾個寫作練習準則。

1、想要練習寫作，你得把你的文章視為正式著作，就像別人看待它的方式一樣。我發現，最好的方法就是把它列印出來、擱置一晚。我知道你的截稿時間緊迫、工作步調繁忙，不可能每一份文件都這麼做，可是，若你手上的案子有稍微長一點的間隔時間，則不妨試試看。

　　等到你再回頭拿起這份文件時，仔細閱讀一遍，從批判性

的角度來看待它，並好好檢查本書中所提到的種種問題。它的標點符號使用狀況？句子和段落有多長？全文是否流暢？內容是否清楚明白？

2、拿一份你最近寫的文件，看看在不失真正重點的情況下，還能縮短多少。結果一定會讓你感到驚訝。

3、找個寫作夥伴，互相交換作品。寫篇簡短評論，說明你喜歡的部分及其原因，以及你不喜歡的部分及其原因。然後交換回來，向對方解釋你的論點。

4、下次要撰寫新文件時，擬好計畫，並切實執行。要記得，事前花時間規劃，能夠為事後節省許多時間。由於內容已經決定，下筆時只需要專注於寫作本身，如此一來，便容易多了。

5、檢查所有文件的可讀性統計，改稿後，還要重新檢查。若一切依照正確方式，則得分應該會改善。你會看到，你所做的每一件事情，都能夠改善文章的可讀性。

6、凡是你認為能夠奏效、讓你決定購買、或在廣告撰寫手冊或指南中看到的銷售文案，都抄寫下來。這個過程把你的手、眼和腦與專家的手、眼和腦相連結。這個做法絕對有效，而且，幾個世紀以來，有多位舉世聞名的偉大作家都使用這種方式來改善自己的文風。藝術家也做相同的事情，坐在美術館裡，臨摹古代大師的作品。

第 25 章

如何向外部寫手做簡報

運用本書的祕訣和技巧,你將開始寫出更好的文案。可是,還有一件事。時間。你是個大忙人。你負責領導某一專案、流程或職責、小組、部門或業務。你的待做事項一大堆,而我的待做事項只有一件事:寫作。

有時候你需要、也想要自己動手撰寫銷售文案。可是,當你需要全新的眼光,或者只是需要有人幫忙時,你就得勞駕外部寫手。此時,好的外部寫手會要你做簡報,其中以簡短的書面簡報最佳。

那麼,到底什麼是簡報?

基本上,簡報能讓外部寫手了解你、你的公司、你的產品,還有,最重要的是,你的顧客或潛在客戶。它應該要說明你想達成的目標。而且,最好不要告訴他們該怎麼做。這是他

們的工作。畢竟,你不會買來一隻狗,然後自己張口吠叫吧!
(或者,你會嗎?有些客戶就是故意喜歡僱用廣告創意人——
然後,不僅告訴他們該寫什麼、該怎麼寫,而且,最後還是自
己動手全部重寫。)

簡報的主要功能是,把你所要求的事項整理成書面紀錄。
換言之,它形成你和寫手之間的合約基礎。如果你所得到的成
品不符合簡報的要求,你就有立場要求重寫。就算內容符合要
求,而你只是不喜歡它的風格,也可以和對方商量。只要你在
敲定合作後不曾改變簡報內容,則你對於文案語氣或風格不滿
意之處,凡是好的寫手,都會樂意改寫。

你們一定要見面嗎?

不一定。我有紐約、維也納、布魯塞爾和香港的客戶,我
們從來沒有見過面。只要他們想要與我聯絡,我們就透過電
話、網路電話(Skype)、電子郵件、視訊等方式來通話。不
過,能夠見面當然更好。畢竟,本書的論點之一就是,我們都
是人。與有生意往來的人面對面會晤,這是人類天性。

如果見面,一定要有一份雙方同意的議程。不要把時間浪
費在漫無目的的閒聊上面。

簡報的內容

凡是你想要向寫手提及的事項,都可以放入簡報當中。不
過,簡報應該要能幫助你的寫手了解從產品到顧客的整個購買

鏈。如果他們還算專業，就應該會提出許多問題。以下是我個人提供給客戶的標準問卷大綱，能夠協助他們專注於重點。歡迎你根據自己的需求修改使用。如果你不負責設計和印刷，則可略過第10到16項。

太陽魚行銷簡報

客戶公司名：

客戶聯絡人：

活動／產品名稱：

目標完成日期：

創意要求摘要：

附件：

1、關於讀者──請盡量詳細提供本文案之目標讀者特性，例如人口基本資料和職業背景。另外，請嘗試回答以下問題：

- 是什麼讓他們在凌晨三點還輾轉難眠？
- 他們渴望什麼？
- 他們想要擺脫什麼？
- 如果他們如你所願採取行動，會發生什麼事？
- 如果他們如你所願採取行動，不會發生什麼事？
- 如果他們不採取行動，會發生什麼事？
- 如果他們不採取行動，不會發生什麼事？

2、**活動目標**。最終目標。如促使詢問或訂購、通知潛在顧客和客戶、建立品牌知名度和喜好、讓前顧客再度購買等等。你希望讀者知道、感覺和承諾什麼？

3、**產品資訊**。產品種類、產品／品牌名稱、內容等等。

4、**獨特的推銷點**。本產品有哪些特色讓它優於同業？它的優勢何在（以及弱勢，如果有的話）？

5、**它如何讓購買者受惠？**購買本產品後，他們的生活將有哪些改善？他們會得到什麼好處？

6、**策略**。你將如何達成你的目標？預估舉辦何種活動及舉辦原因？

7、**名單／目標媒體**。被挑選出的郵寄名單、內部資料庫、雜誌、報紙等等。

8、**時間表**。何時需要看到初稿；何時需要接獲定案內容及美編完稿？

9、**企業的核心價值觀／定位**。我們希望傳達何種形象？嚴肅權威、風趣作樂、高貴含蓄、友善可靠……是以上哪一組合，還是其他的價值觀？

10、**視覺／概念加工**。你希不希望廣告在進入設計階段之前，先經過視覺或其他創意處理？有多少構想？

11、**製版**。有沒有哪些一定要使用或不得使用的字體？你的行銷或企業政策中，有沒有納入特定字體規定或編輯準則（例如：企業風格）？

12、**顏色**。我們要使用幾種顏色？有沒有哪些顏色一定要使用或避免？還有沒有其他用色方式（例如：封面使用單一底色、好幾大塊的單一顏色、漸層等等）？

13、**版面和格式**。有沒有特定的印刷文件格式（例如：4pp A4、8pp A5、6pp DL）？

14、**商標和圖形**。有沒有哪些圖形一定要放入（例如：商標、螢幕輸出、圖表、圖案、照片）？總共有多少？由誰提供？（例如：太陽魚公司提供、客戶提供）？

15、**軟體**。貴公司印表機接受哪一套軟體？

16、**其他問題**。關於企業風格和創意觀念，還有沒有其他重點需要補充？

修改問題

　　二十多年來，我寫過不計其數的銷售文案。前十年我在企業內工作，從來沒有人說過他們喜歡我的作品、或提出任何讚美。（唉，可憐的我。）但等我一跳出來展開獨立廣告創意人事業後，馬上佳評如潮。為什麼呢？也許人們只尊敬他們特別

僱用的專業、而看輕公司內部員工。我不知道。不過，我要提出以下論點。

當你拿到文案寫手交給你的初稿，他們會感到緊張。他們希望你喜歡這份初稿，並進而喜歡他們。他們很擔心你不喜歡。他們花了許多時間和精力來撰寫這份初稿，因此，在聽到壞消息之前（如果有的話），急迫想先聽到一點鼓勵的話。

因此，如果你想和你的外部寫手建立穩固的工作關係，我建議你先說些正面的話。他們會可憐地感激你，然後，你便可以慢慢地提及你覺得需要改進之處。

同時也要注意，修改有兩種。第一種是因為寫手未能掌握你的產品、公司、顧客或銷售點，而需要做出的改變。這是他們的疏失，他們應該在不另收費的情況下加以改正。

第二種主要是因為你自己。例如，在初稿撰寫期間，你對於銷售活動或廣告的某些觀點已經改變。他們還是會願意修改，不過，這額外的工作應該另行付費。回到簡報內容。如果在簡報中未提及，你便不能期望他們會把它寫入文案當中。

第 26 章
最後提醒

　　人們預測書寫文字即將滅絕已有一段時間。電話本應削弱文字的功用。網際網路本應全面撲殺文字。行動電話本應吞噬文字的屍體。結果呢？剛好相反。如今，書寫文字比以前更為發達。

　　在火車上，鄰座的乘客多半在打電腦、而非閱讀。在會議中，至少會有一位與會者正在用他的黑莓機傳送電子郵件。請把你的手機打開，看看在過去幾個小時以來，你總共收到多少通簡訊。

優質寫作的重要

　　雖然我在本書一開始沒有提及，但我撰寫本書的目標之一，就是協助你寫出更優質的書面文字，就是這樣。

是的，我希望你的事業更有利可圖。是的，我希望你的小冊子、廣告、網站和電子郵件更有效益。不過，我也希望看到銷售寫作能在風雅文學中抬起頭來。現今有太多公司似乎樂意大量生產拙劣拼湊而成的襤褸「通訊」，如果我們繼續容忍這種情況，我的願望將永遠不會實現。

每次有公司寄出差勁的新聞稿、或是出現拼字和標點錯誤的電子郵件、或是充滿陳腔濫調的廣告冊子，語言便慘遭一次侮辱。而且，也很難彌補。也許他們會以為你是故意這麼寫，而且，可以適用到一般語言上面。也許，他們會開始使用這些垃圾語言。也許，他們的子女看到後，也開始依樣畫葫蘆。這不是好現象。

事實上，無論是情書還是銷售信函，優質寫作絕對要比劣質寫作更有效益。就算你的文章目的「只是」為了推銷，應該還是要讓人讀起來愉悅舒適。

只要一切做對，你當然會獲得更佳業績。不過，用書面文字來傳遞優雅、新鮮及有說服力的訊息時，你也會和我一樣，得到驕傲、樂趣和滿足。

重點摘要

☑ 藉由大量閱讀、廣泛閱讀來讓自己成為更優秀的作者。
☑ 練習你新發現的技巧。把寫作焦點放在寫作本身，而非內容。

☑找個寫作夥伴──樂意提供構想、和你交換意見的人。

☑如果你要僱用外部寫手，一定要給他一份書面簡報。

☑要記得，寫手需要先聽到好消息。

附錄

寫手參考書目

市面上關於英文用法、商用英文、廣告文編和銷售寫作的書籍汗牛充棟，電子雜誌、網站和部落格方面的資料更是多不勝數。你不妨建立一套屬於自己的資料庫，我也在此提供我自己的書目供你參考：

- *Concise Oxford English Dictionary* (Oxford University Press, 2006)

- *The Economist Style Guide: The bestselling guide to English usage* (Profile Books, 2005)

- *Oxford Thesaurus of English* (Oxford University Press, 2006)

- Drayton Bird, *Commonsense Direct Marketing* (Kogan Page, 2000) 中譯本《直效行銷術》聯經出版

- Drayton Bird, *How to Write Sales Lettersthat Sell: Learn the secrets of successful direct mail* (Kogan Page, 2002)

- Robert W. Bly, *The Copywriter's Handbook: A step-by-step guide to writing copy that sells* (Owl Books, 2007)

- Dorothea Brande, *Becoming a Writer* (Jeremy P. Tarcher, 1981)

- RW Burchfield, *Fowler's Modern English Usage* (Oxford University Press, 2004)

- John Caples, *Tested Advertising Methods* (Prentice Hall, 1980) 中譯本《增加19倍銷售的廣告創意法》滾石文化出版

- GV Carey, *Mind the Stop: A brief guide to punctuation* (Penguin Books, 1971)

- Sylvia Chalker and Edmund Weiner, *The Oxford Dictionary of English Grammar* (Oxford Paperbacks, 1998)

- James Cochrane, *Between You and I: A little book of bad English* (Icon Books, 2005)

- David Crystal, *The Cambridge Encyclopedia of the English language* (Cambridge University Press, 2003)

- David Crystal, *The English Language: A guided tour of the language* (Penguin Books, 2002)

- Dianne Doubtfire and Ian Burton, *Teach Yourself Creative Writing* (Teach Yourself Books, 2003)

- John Fraser-Robinson, *The Secrets of Effective Direct Mail* (McGraw-Hill Publishing, 1989)

- Eric Gill, *An Essay on Typography* (Theosophical University Press, 1993)

- Sir Ernest Gowers, *Complete Plain Words:The classic desk companion for clear writing* (Penguin Books, 1987)

- Claude C Hopkins, *My Life in Advertising & Scientific Advertising* (McGraw-Hill, 1986)

- John Humphrys, *Lost for Words: The mangling and manipulation of the English language* (Hodder and Stoughton Paperbacks, 2005)

- Graham King, *Punctuation* (Collins, 2000)

- Stephen King, *On Writing: A memoir* (New English Library, 2001) 中譯本《史蒂芬・金談寫作》商周出版

- Damon Knight, *Creating Short Fiction:The classic guide to writing short fiction* (St Martin's Press, 1997)

- Elizabeth Knowles, *The Oxford Dictionary of 20th Century Quotations* (Oxford University Press, 1999)

- Elizabeth Knowles, *Oxford Dictionary of Quotations:The favourite guide to wit and wisdom past and presen*t (Oxford University Press, 2004)

- Ursula K Le Guin, *Steering the Craft: Exercises and discussions on story writing for the lone navigator or the mutinous crew* (Eighth Mountain Press, 1999)中譯本《奇幻大師勒瑰恩教你寫小說》木馬文化出版

- Graeme McCorkill, *Advertising That Pulls Response* (McGraw-Hill Publishing, 1990)

- David Ogilvy, *Confessions of an Advertising Man* (Southbank Publishing, 2004)

- David Ogilvy, *Ogilvy on Advertising* (Random House, 1987)

- David Ogilvy and Joel Raphaelson, *The Unpublished David Ogilvy: His secrets of management, creativity and success - from private papers and public fulminations* (Crown, 1987) 中譯本《廣告大師奧格威：未公諸於世的行銷創意選集》天下文化

出版

- David Oliver, *101 Ways to Negotiate More Effectively* (Kogan Page, 1996)

- Eric Partridge and Janet Whitcut, *Usage and Abusage: A guide to good English* (Penguin Books, 1999)

- Flyn L Penoyer, *Teleselling Techniques That Close the Sale* (Amacom, 1997)

- Adrian Room, *Brewer's Dictionary of Phrase and Fable* (Cassell, 2001)

- Victor O Schwab, *How to Write a Good Advertisement* (Wiltshire Book Company, 1985)

- Sol Stein, *Solutions for Writers: Practical craft techniques for fiction and non-fiction* (Souvenir Press, 1999)

- William Strunk, Jr and EB White, *The Elements of Style* (Longman, 1999) 中譯本《英文寫作風格的要素》所以文化出版

- Alan Swann, *Basic Design and Layout: Principles and techniques of graphic design demonstrated in step by step projects* (Phaidon Press, 1987) 中譯本《版面設計基本原理》新形象出版

- Lynne Truss, *Eats, Shoots and Leaves: The Zero tolerance approach to punctuation* (Profile Books, 2005) 中譯本《教唆熊貓開槍的「，」：一次學會英文標點符號》如何出版

- Jan Tschichold, *The Form of the Books: Essays on the morality of good design* (Hartley and Marks, 2006)

- Nick Usborne, *Net Words: Creating high-impact online copy* (McGraw-Hill, 2001)

- ESC Weiner and Andrew Delahunty, *The Oxford Guideto English Usage: The essential guide to correct English* (Oxford University Press, 1994)

經濟新潮社 〈自由學習系列〉

書 號	書 名	作 者	定價
QD1001	想像的力量：心智、語言、情感，解開「人」的祕密	松澤哲郎	350
QD1002	一個數學家的嘆息：如何讓孩子好奇、想學習，走進數學的美麗世界	保羅・拉克哈特	250
QD1003	寫給孩子的邏輯思考書	苅野進、野村龍一	280
QD1004	英文寫作的魅力：十大經典準則，人人都能寫出清晰又優雅的文章	約瑟夫・威廉斯、約瑟夫・畢薩普	360
QD1005	這才是數學：從不知道到想知道的探索之旅	保羅・拉克哈特	400
QD1006	阿德勒心理學講義	阿德勒	340
QD1007	給活著的我們・致逝去的他們：東大急診醫師的人生思辨與生死手記	矢作直樹	280
QD1008	服從權威：有多少罪惡，假服從之名而行？	史丹利・米爾格蘭	380
QD1009	口譯人生：在跨文化的交界，窺看世界的精采	長井鞠子	300
QD1010	好老師的課堂上會發生什麼事？——探索優秀教學背後的道理！	伊莉莎白・葛林	380
QD1011	寶塚的經營美學：跨越百年的表演藝術生意經	森下信雄	320
QD1012	西方文明的崩潰：氣候變遷，人類會有怎樣的未來？	娜歐蜜・歐蕾斯柯斯、艾瑞克・康威	280
QD1013	逗點女王的告白：從拼字、標點符號、文法到髒話……英文，原來這麼有意思！	瑪莉・諾里斯	380
QD1014	設計的精髓：當理性遇見感性，從科學思考工業設計架構	山中俊治	480
QD1015	時間的形狀：相對論史話	汪潔	380

經濟新潮社 〈經營管理系列〉

書　號	書　　　　名	作　者	定價
QB1051	從需求到設計：如何設計出客戶想要的產品	唐納‧高斯、傑拉爾德‧溫伯格	550
QB1052C	金字塔原理：思考、寫作、解決問題的邏輯方法	芭芭拉‧明托	480
QB1053X	圖解豐田生產方式	豐田生產方式研究會	300
QB1055X	感動力	平野秀典	250
QB1058	溫伯格的軟體管理學：第一級評量（第2卷）	傑拉爾德‧溫伯格	800
QB1059C	金字塔原理Ⅱ：培養思考、寫作能力之自主訓練寶典	芭芭拉‧明托	450
QB1061	定價思考術	拉斐‧穆罕默德	320
QB1062C	發現問題的思考術	齋藤嘉則	450
QB1063	溫伯格的軟體管理學：關照全局的管理作為（第3卷）	傑拉爾德‧溫伯格	650
QB1067	從資料中挖金礦：找到你的獲利處方籤	岡嶋裕史	280
QB1068	高績效教練：有效帶人、激發潛能的教練原理與實務	約翰‧惠特默爵士	380
QB1069	領導者，該想什麼？：成為一個真正解決問題的領導者	傑拉爾德‧溫伯格	380
QB1070	真正的問題是什麼？你想通了嗎？：解決問題之前，你該思考的6件事	唐納德‧高斯、傑拉爾德‧溫伯格	260
QB1071X	假說思考：培養邊做邊學的能力，讓你迅速解決問題	內田和成	360
QB1073C	策略思考的技術	齋藤嘉則	450
QB1074	敢說又能說：產生激勵、獲得認同、發揮影響的3i說話術	克里斯多佛‧威特	280
QB1075X	學會圖解的第一本書：整理思緒、解決問題的20堂課	久恆啟一	360
QB1076X	策略思考：建立自我獨特的insight，讓你發現前所未見的策略模式	御立尚資	360
QB1080	從負責到當責：我還能做些什麼，把事情做對、做好？	羅傑‧康納斯、湯姆‧史密斯	380

經濟新潮社　　〈經營管理系列〉

書　號	書　　　名	作　　者	定價
QB1082X	論點思考：找到問題的源頭，才能解決正確的問題	內田和成	360
QB1083	給設計以靈魂：當現代設計遇見傳統工藝	喜多俊之	350
QB1084	關懷的力量	米爾頓·梅洛夫	250
QB1085	上下管理，讓你更成功！：懂部屬想什麼、老闆要什麼，勝出！	蘿貝塔·勤斯基·瑪圖森	350
QB1086	服務可以很不一樣：讓顧客見到你就開心，服務正是一種修練	羅珊·德西羅	320
QB1087	為什麼你不再問「為什麼？」：問「WHY？」讓問題更清楚、答案更明白	細谷 功	300
QB1089	做生意，要快狠準：讓你秒殺成交的完美提案	馬克·喬那	280
QB1090X	獵殺巨人：十大商戰策略經典分析	史蒂芬·丹尼	350
QB1091	溫伯格的軟體管理學：擁抱變革（第4卷）	傑拉爾德·溫伯格	980
QB1092	改造會議的技術	宇井克己	280
QB1093	放膽做決策：一個經理人1000天的策略物語	三枝匡	350
QB1094	開放式領導：分享、參與、互動——從辦公室到塗鴉牆，善用社群的新思維	李夏琳	380
QB1095	華頓商學院的高效談判學：讓你成為最好的談判者！	理查·謝爾	400
QB1096	麥肯錫教我的思考武器：從邏輯思考到真正解決問題	安宅和人	320
QB1097	我懂了！專案管理（全新增訂版）	約瑟夫·希格尼	330
QB1098	CURATION策展的時代：「串聯」的資訊革命已經開始！	佐佐木俊尚	330
QB1100	Facilitation引導學：創造場域、高效溝通、討論架構化、形成共識，21世紀最重要的專業能力！	堀公俊	350
QB1101	體驗經濟時代（10週年修訂版）：人們正在追尋更多意義，更多感受	約瑟夫·派恩、詹姆斯·吉爾摩	420
QD1102	最極致的服務最賺錢：麗池卡登、寶格麗、迪士尼都知道，服務要有人情味，讓顧客有回家的感覺	李奧納多·英格雷利、麥卡·所羅門	330

書　號	書　　　名	作　　者	定價
QB1103	輕鬆成交，業務一定要會的提問技術	保羅・雀瑞	280
QB1104	不執著的生活工作術：心理醫師教我的淡定人生魔法	香山理香	250
QB1105	CQ文化智商：全球化的人生、跨文化的職場——在地球村生活與工作的關鍵能力	大衛・湯瑪斯、克爾・印可森	360
QB1107	當責，從停止抱怨開始：克服被害者心態，才能交出成果、達成目標！	羅傑・康納斯、湯瑪斯・史密斯、克雷格・希克曼	380
QB1108	增強你的意志力：教你實現目標、抗拒誘惑的成功心理學	羅伊・鮑梅斯特、約翰・堤爾尼	350
QB1109	Big Data大數據的獲利模式：圖解・案例・策略・實戰	城田真琴	360
QB1110	華頓商學院教你活用數字做決策	理查・蘭柏特	320
QB1111C	V型復甦的經營：只用二年，徹底改造一家公司！	三枝匡	500
QB1112	如何衡量萬事萬物：大數據時代，做好量化決策、分析的有效方法	道格拉斯・哈伯德	480
QB1114	永不放棄：我如何打造麥當勞王國	雷・克洛克、羅伯特・安德森	350
QB1115	工程、設計與人性：為什麼成功的設計，都是從失敗開始？	亨利・波卓斯基	400
QB1117	改變世界的九大演算法：讓今日電腦無所不能的最強概念	約翰・麥考米克	360
QB1118	現在，頂尖商學院教授都在想什麼：你不知道的管理學現況與真相	入山章榮	380
QB1119	好主管一定要懂的2×3教練法則：每天2次，每次溝通3分鐘，員工個個變人才	伊藤守	280
QB1120	Peopleware：腦力密集產業的人才管理之道（增訂版）	湯姆・狄馬克、提摩西・李斯特	420
QB1121	創意，從無到有（中英對照×創意插圖）	楊傑美	280
QB1122	漲價的技術：提升產品價值，大膽漲價，才是生存之道	辻井啟作	320

經濟新潮社　　〈經營管理系列〉

書　號	書　　　　　名	作　　者	定價
QB1123	從自己做起，我就是力量：善用「當責」新哲學，重新定義你的生活態度	羅傑・康納斯、湯姆・史密斯	280
QB1124	人工智慧的未來：揭露人類思維的奧祕	雷・庫茲威爾	500
QB1125	超高齡社會的消費行為學：掌握中高齡族群心理，洞察銀髮市場新趨勢	村田裕之	360
QB1126	【戴明管理經典】轉危為安：管理十四要點的實踐	愛德華・戴明	680
QB1127	【戴明管理經典】新經濟學：產、官、學一體適用，回歸人性的經營哲學	愛德華・戴明	450
QB1128	主管厚黑學：在情與理的灰色地帶，練好務實領導力	富山和彥	320
QB1129	系統思考：克服盲點、面對複雜性、見樹又見林的整體思考	唐內拉・梅多斯	450
QB1130	深度思考的力量：從個案研究探索全新的未知事物	井上達彥	420
QB1131	了解人工智慧的第一本書：機器人和人工智慧能否取代人類？	松尾豐	360
QB1132	本田宗一郎自傳：奔馳的夢想，我的夢想	本田宗一郎	350
QB1133	BCG頂尖人才培育術：外商顧問公司讓人才發揮潛力、持續成長的祕密	木村亮示、木山聰	360
QB1134	馬自達Mazda技術魂：駕馭的感動，奔馳的祕密	宮本喜一	380
QB1135	僕人的領導思維：建立關係、堅持理念、與人性關懷的藝術	麥克斯・帝普雷	300
QB1136	建立當責文化：從思考、行動到成果，激發員工主動改變的領導流程	羅傑・康納斯、湯姆・史密斯	380
QB1138	超好賣的文案銷售術：洞悉消費心理，業務行銷、社群小編、網路寫手必備的銷售寫作指南	安迪・麥斯蘭	320

國家圖書館出版品預行編目資料

超好賣的文案銷售術：洞悉消費心理,業務行
銷、社群小編、網路寫手必備的銷售寫作指
南／安迪‧麥斯蘭（Andy Maslen）；劉復苓
譯. -- 二版. -- 臺北市：經濟新潮社出版：
家庭傳媒城邦分公司發行, 2017.04
　　面；　公分. --（經營管理；138）
譯自：Write to sell : the ultimate guide to great
copywriting
ISBN 978-986-94410-2-5（平裝）

　1.銷售　2.廣告文案

496.5　　　　　　　　　　　　106004801